RUDOLF STEINER

Quellen der Gesundheit

RUDOLF STEINER

QUELLEN DER GESUNDHEIT

Drei Vorträge

Herausgegeben von
Andreas Neider

VERLAG FREIES GEISTESLEBEN

Rudolf Steiner (1861-1925) studierte Natur- und Ingenieurwissenschaften an der Technischen Universität Wien. Er promovierte in Philosophie an der Universität Rostock, gab die naturwissenschaftlichen Schriften Goethes heraus und begründete die Anthroposophie und Waldorfpädagogik, die biologisch-dynamische Landwirtschaft, die anthroposophisch erweiterte Medizin und die Heilpädagogik. Er entwickelte den organischen Funktionalismus in der Architektur und die Bewegungskunst Eurythmie. Seine Hauptwerke sind: *Die Philosophie der Freiheit; Theosophie – Einführung in übersinnliche Welterkenntnis und Menschenbestimmung; Wie erlangt man Erkenntnisse der höheren Welten?; Die Geheimwissenschaft im Umriss* und *Die Kernpunkte der sozialen Frage.*

ISBN 3-7725-1777-3

1. Auflage 2003

Verlag Freies Geistesleben
Landhausstraße 82, 70190 Stuttgart
Internet: www.geistesleben.com

Einband: Thomas Neuerer unter Verwendung einer Buchmalerei
aus dem 12. Jh., *Das Paradies, Die vier Paradiesflüsse* (Detail).
Druck: Offizin Chr. Scheufele, Stuttgart

INHALT

VORWORT

des Herausgebers

«Das wird natürlich für die äußere Medizin erst noch festzustellen sein, warum sich bei dem einen größere Schwierigkeiten dem Heilungsprozess entgegenstellen als bei dem anderen.» Dieser lapidare, aber doch prophetisch ausgesprochene Satz in dem hier abgedruckten Vortrag Rudolf Steiners von 1908 war letztlich der Anlass zur Herausgabe des vorliegenden Buches *Quellen der Gesundheit.* Denn tatsächlich hat sich in den letzten einhundert Jahren die Medizin nicht ausschließlich mit der Frage nach den Ursachen von Krankheiten, mit Krankheit überhaupt beschäftigt, sondern auch mit der Frage: «Wie entsteht Gesundheit?»

Dem amerikanischen Arzt Aaron Antonovsky (1923-1994) verdanken wir das Konzept der «Salutogenese». Seine bahnbrechenden Hauptwerke erschienen 1979 und 1987 in den USA[1] und haben seither die medizinische Forschung immer mehr beschäftigt und auf das von ihm entdeckte Gebiet aufmerksam gemacht. Das geschah hauptsächlich aus dem Grunde, dass das heutige Gesundheitssystem an einer Überbewertung der Diagnose und des Wissens von

Krankheit zu zerbrechen droht, während das Wissen um die Gesundheit immer weiter verdrängt wurde. Dennoch setzten sich, besonders auf dem Gebiet der Psychosomatik, immer mehr Erkenntnisse durch, die auf präventive, gesundheitsfördernde Maßnahmen hinweisen.

Antonovskys Entdeckung bestand darin, dass Menschen auf sogenannte «Stressoren», also Stress verursachende Umstände, sehr unterschiedlich reagieren. Für Antonovsky war dabei besonders der Psychotherapeut Viktor E. Frankl von großer Bedeutung. Denn dessen Erfahrungen des Überlebens im Konzentrationslager von Auschwitz führten zu der entscheidenden Einsicht: «Es war nicht zuletzt die Lehre, die ich aus Auschwitz und Dachau mit nach Hause nehmen konnte: dass diejenigen noch am ehesten fähig waren, sogar noch solche Grenzsituationen zu überleben, die ausgerichtet waren auf die Zukunft, auf eine Aufgabe, die auf sie wartete, auf einen Sinn, den sie erfüllen wollten.»[2] Die Sinnorientiertheit des menschlichen Daseins als Gesundheitsfaktor war Frankls großartige und unter extremen Umständen gewonnene Entdeckung, an die Antonovsky, den die Erfahrung des Holocaust als Jude besonders beschäftigte, anknüpfte.

Er bezeichnete das, was Gesundheit ausmacht, schließlich als «Kohärenzgefühl», das durch drei Faktoren beeinflusst wird: 1. Kann ich die Welt in ihren Zusammenhängen begreifen? 2. Habe ich Vertrauen, die mir vom Leben gestellten Aufgaben zu meistern? 3. Erfahre ich mein Leben als sinnhaft? Frankls Erfahrung war, dass die Beantwortung der dritten Frage die primäre Rolle im Leben jedes Menschen spielt, und Antonovsky stellte bei seinen Untersuchungen tatsächlich immer wieder fest, dass die Gesundheit eines Menschen wirklich von der positiven Beantwortung dieser Frage abhängig ist. Je stärker ein Mensch diese Frage mit Ja beantworten kann, desto gelassener kann er mit Stressoren, die die Gesundheit negativ beeinflussen, umgehen.

Diese Forschungsergebnisse Antonovskys, die seinem Salutogenese-Konzept zugrunde liegen, werden in den hier ausgewählten Vorträgen Rudolf Steiners auf eindrucksvolle Weise bereits am Beginn des 20. Jahrhunderts vorweggenommen. Steiners Aussagen resultieren letztlich in der Einsicht: «Klare, helle Gedanken, umfassende Gedanken, wie sie nur eine durch umfassende, auf das Ganze der Welt, also auch auf das Übersinnliche gehende Weltanschauung hervorgerufen werden können, sind Voraussetzung für die Gesundheit.» Und: «Der Körper ist gesund, weil die Seele gesund ist.»

An dieser Stelle begegnen sich Steiners Einsichten mit den Entdeckungen Viktor Frankls und Aaron Antonovskys. Sie können daher auch für eine neues Verständnis von Gesundheit wegweisend sein.

Weil im Schönbuch, *Andreas Neider*
im Februar 2003

DAS VERGESSEN UND DIE INNERE GESUNDHEIT DES MENSCHEN

Berlin, 2. November 1908

Wir wollen heute eine derjenigen geisteswissenschaftlichen Betrachtungen anstellen, die uns zeigen, wie das Wissen, das wir durch die anthroposophische Weltanschauung erlangen, geeignet ist, uns Aufschlüsse zu geben über das Leben im weitesten Sinne. Nicht nur das Leben der alltäglichen Wirklichkeit wird uns verständlich durch solches Wissen, wir erhalten auch Aufschlüsse über das Leben in jenem großen, weiten Umfange, den wir dann ins Auge fassen, wenn wir es hinausverfolgen über den Tod bis in die Zeiten hinein, die zwischen dem Tod und einer neuen Geburt für den Menschen verfließen. Gerade aber für das tägliche Leben kann uns die Geisteswissenschaft großen Nutzen bringen, sie kann uns manches Rätsel lösen, sie kann uns zeigen, wie wir sozusagen mit dem Leben fertig werden können. Denn für den Menschen, der nicht hineinzuschauen vermag in die Untergründe des Daseins, bleibt eben vieles unverständlich von dem, was ihm im Leben täglich, ja stündlich begegnet. Es türmen sich ihm viele Fragen auf, die aus der Sinneserfahrung nicht beantwortet werden können und die, wenn sie unbeantwortet bleiben, Rätsel bleiben und störend in das Leben eingreifen, indem sie Unbefriedigung hervorrufen. Unbefriedigtsein im Leben kann aber niemals zur Entwickelung und zum wahren Heile der Menschheit dienen. Wir könnten Hunderte solcher Lebensrätsel hinstellen, die viel tiefer in das Leben hineinleuchten, als man gewöhnlich nur ahnt.

Ein solches Wort, welches viele Rätsel birgt, ist das Wort «Vergessen». Sie alle kennen es als das Wort, welches das Gegenteil von dem anzeigt, was wir das Behalten einer gewissen Vorstellung, eines gewissen Gedankens, eines Eindruckes nennen. Sie alle haben gewiss mit dem, was sich hinter dem Worte Vergessen verbirgt, allerlei trübe Erfahrungen gemacht. Sie alle haben wohl das Quälende durchgemacht, das oftmals dadurch entsteht, dass diese oder jene Vorstellung, dieser oder jener Eindruck, wie wir sagen, aus dem Gedächtnisse entschwunden ist. Vielleicht haben Sie dann auch nachgedacht: Wozu muss so etwas wie das Vergessen zu den Erscheinungen des Lebens gehören?

Nun kann man Aufschluss, und zwar Aufschluss in fruchtbarer Art über eine solche Sache doch nur gewinnen aus den Tatsachen des okkulten Lebens heraus. Sie wissen ja, dass das Gedächtnis, die Erinnerung, etwas zu tun hat mit dem, was wir den menschlichen Ätherleib nennen. So dürfen wir auch voraussetzen, dass sozusagen das Gegenteil des Gedächtnisses, der Erinnerung, das Vergessen, etwas zu tun haben wird mit dem Ätherleib. Die

Frage ist vielleicht berechtigt: Hat es einen Sinn im Leben, dass der Mensch die Dinge, die er einmal in seinem Vorstellungsleben gehabt hat, auch vergessen kann? Oder müssen wir uns damit begnügen, was ja hinsichtlich dieser Vorstellung so häufig geschieht, dass sozusagen das Vergessen nur negativ charakterisiert wird, dass man sagt: Es ist eben ein Mangel der menschlichen Seele, dass sie nicht alles in jedem Augenblick gegenwärtig haben kann. – Wir werden nur einen Aufschluss gewinnen über das Vergessen, wenn wir uns die Bedeutung seines Gegenteils vor die Seele führen, die Bedeutung und das Wesen des Gedächtnisses.

Wenn wir sagen, dass das Gedächtnis etwas zu tun hat mit dem Ätherleib, so müssen wir uns wohl fragen: Wie kommt es, dass beim Menschen der Ätherleib diese Aufgabe erhält, die Eindrücke und Vorstellungen zu behalten, da doch der Ätherleib schon bei der Pflanze vorhanden ist und da eigentlich eine wesentlich andere Aufgabe hat? Wir haben öfter davon gesprochen, dass ein Pflanzenwesen, das wir vor uns haben, im Gegensatz zu dem bloßen Stein seine ganze Materialität durchdrungen hat von dem Ätherleib. Und der Ätherleib ist in der Pflanze das Prinzip des Lebens im engeren Sinne, dann das Prinzip der Wiederholung. Wenn die Pflanze nur der Tätigkeit des Ätherleibes unterworfen wäre, so würde, von der Wurzel der Pflanze angefangen, immerfort das Prinzip des Blattes sich wiederholen. Dass sich in einem Lebewesen Glieder immer von neuem wiederholen, daran ist der Ätherleib schuld, denn er will immer wieder dasselbe hervorbringen. Deshalb gibt es ja auch so etwas im Leben, was wir Fortpflanzung nennen, die Hervorbringung seinesgleichen. Sie beruht im Wesentlichen auf einer Tätigkeit des Ätherleibes. Alles, was beim Menschen und auch beim Tier auf Wiederholung beruht, ist auf das ätherische Prinzip zurückzuführen. Dass sich beim Rückgrat Ringknochen um Ringknochen wiederholt, rührt von dieser Tätigkeit des Ätherleibes her. Dass die Pflanze in ihrem Wachstum oben abschließt, dass uns in der Blüte eine Zusammenfassung des ganzen Wachstums erscheint, das rührt davon her, dass sich von außen die Astralität der Erde in das Wachstum der Pflanze hineinsenkt. Dass sich beim Menschen die Ringknochen des Rückgrates nach oben erweitern zur Gehirnkapsel und da Hohlknochen werden, das hat seinen Ursprung in der Tätigkeit des Astralleibes des Menschen. So können wir sagen, dass alles, was Abschlüsse hervorbringt, dem Astralischen unterliegt, und alle Wiederholung vom Ätherprinzip herrührt. Die Pflanze hat diesen Ätherleib und der Mensch hat ihn auch. Bei der Pflanze kann natürlich von einem Gedächtnis nicht die Rede sein. Denn etwa gar zu behaupten, dass die Pflanze durch ein gewisses unbewusstes Gedächtnis sich merkt, wie das Blatt war, das sie hervorgebracht hat, und nun ein Stückchen weiter wächst und dann nach dem Muster des ersten Blattes das nächste hervorbringt, das führt zu den Phantastereien, zu denen heute eine neuerliche Naturwissenschaft hinneigt. Da spricht man zum Beispiel auch davon, dass die Vererbung herrühre von einer Art unbewussten Gedächtnisses. Das bildet jetzt einen gewissen, man möchte fast sagen, Unfug in der naturwissenschaftlichen Literatur, denn bei der Pflanze von Gedächtnis zu reden, ist eigentlich bloßer Dilettantismus in höherem Sinne.[3]

Wir haben es zu tun mit dem Ätherleib, der das Prinzip der Wiederholung ist. Um den Unterschied fassen zu können zwischen dem pflanzlichen Ätherleibe und dem menschlichen, der neben den Eigenschaften des pflanzlichen Ätherleibes auch noch die Fähigkeit hat, das Gedächtnis auszubilden, müssen wir uns klarmachen, worinnen sich denn überhaupt Pflanze und Mensch unterscheiden. Denken Sie einmal, Sie senken einen Pflanzensamen in die Erde; dann entsteht aus diesem Pflanzensamen eine ganz bestimmte Pflanze. Aus einem Weizensamen wird Weizenhalm und Weizenähre entstehen, aus einem Bohnensamen die Bohnenpflanze. Und Sie werden sich sagen müssen: Es ist in einer gewissen Weise unabänderlich bestimmt durch die Natur des Samens, wie diese Pflanze sich entwickeln wird. Es ist ja wahr, dass der Gärtner hinzukommen mag und durch allerlei Gartenkünste die Pflanze veredelt, in einer gewissen Weise umgestaltet. Aber das ist im Grunde genommen doch etwas Ausnahmsweises und hat außerdem doch nur einen geringen Umfang gegen das, was wir vorhin damit bezeichneten, dass wir sagten: Es wird sich aus dem Samen eine Pflanze entwickeln, die eine ganz bestimmte Gestalt, ein ganz bestimmtes Wachstum und so weiter hat. Ist das nun beim Menschen auch so? Gewiss, bis zu einem gewissen Grade ist das der Fall, aber nur bis zu einem gewissen Grade. Wir sehen, wenn ein Mensch entsteht aus dem Menschenkeim, dass auch er an einer gewissen Grenze der Entwickelung sich abschließt. Wir sehen, dass von Negereltern ein Neger [4] entsteht, von Weißen ein Weißer, und so könnten wir mancherlei anführen, was uns zeigen würde, dass ebenso wie bei der Pflanze auch beim Menschen die Entwickelung innerhalb gewisser Grenzen eingeschlossen ist. Aber das geht nur bis zu einer gewissen Grenze, bis zur Grenze der physischen, der ätherischen, auch noch der astralischen Natur. Es wird manches nachweisbar sein in den Gewohnheiten und Leidenschaften eines Kindes, das durch das ganze Leben bleibend ist, das sozusagen ähnlich ist den Leidenschaften, den Instinkten der Vorfahren. Aber wenn der Mensch ebenso eingeschlossen wäre in den Grenzen eines gewissen Wachstumes wie die Pflanze, dann gäbe es gar nicht so etwas wie die Erziehung, wie die Entwickelung der seelischen und geistigen Eigenschaften. Wenn Sie sich zwei Kinder verschiedener Elternpaare denken, die aber in Bezug auf Anlagen und auf äußere Eigenschaften sehr verwandt sind, und sich nun vorstellen, das eine Kind werde verwahrlost, man wende nicht viel an auf seine Erziehung, das andere aber werde sorgfältig erzogen, in eine gute Schule geschickt, dass es eine inhaltsvolle Entwickelung durchmacht, dann können Sie unmöglich sagen, dass diese inhaltsvolle Entwickelung schon so im Keim beim Kinde enthalten gewesen wäre wie etwa bei der Bohne. Die Bohne wächst auf jeden Fall aus dem Keim hervor, Sie brauchen sie nicht besonders zu erziehen. Das gehört zu ihrer Natur. Wir können nicht die Pflanzen erziehen, den Menschen aber können wir erziehen. Wir können dem Menschen etwas überliefern, in ihn etwas hineinbringen, während wir Ähnliches in die Pflanze nicht hineinbringen können. Woher rührt das? Das hat seinen Grund darin, dass der Ätherleib der Pflanze in jedem Falle eine bestimmte innere Gesetzmäßigkeit hat, die abgeschlossen ist, die sich von Samen zu Samen hindurchentwickelt und die einen bestimmten Kreis hat, über den nicht hinausgegangen werden kann. Anders ist es beim Ätherleib des Menschen. Da ist es so, dass außer demjenigen Teil des Ätherleibes, der verwendet wird auf das Wachstum, auf dieselbe Entwickelung, die der Mensch auch in gewissen Grenzen eingeschlossen hat wie die Pflanze, dass außer diesem Teil sozusagen noch ein anderer Teil im Ätherleibe ist, der frei auftritt, der von vornherein keine Verwendung hat, wenn wir nicht dem Menschen in der Erziehung allerlei beibringen, der menschlichen Seele allerlei einfügen, was dann dieser freie Teil des Ätherleibes verarbeitet. So also ist wirklich ein durch die Natur selbst nicht verbrauchter Teil des Ätherleibes im Menschen vorhanden. Diesen Teil des Ätherleibes bewahrt sich der Mensch; er verwendet ihn nicht zum Wachstum, nicht zu seiner natürlichen organischen Entwickelung, sondern behält ihn als etwas Freies in sich, durch das er die Vorstellungen, die durch die Erziehung in ihn hineinkommen, aufnehmen kann.

Nun aber geschieht ja dieses Aufnehmen von Vorstellungen so, dass der Mensch zunächst die Eindrücke empfängt. Eindrücke muss der Mensch immer empfangen, denn auch die ganze Erziehung beruht auf Eindrücken und auf dem Zusammenwirken zwischen Ätherleib und astralischem Leib. Denn um Eindrücke zu empfangen, dazu gehört der astralische Leib. Dass Sie diesen Eindruck behalten, dass er nicht wieder verschwindet, dazu ist der Ätherleib notwendig. Auch zu der kleinsten, scheinbar unbedeutendsten Erinnerung ist schon die Tätigkeit des Ätherleibes notwendig. Wenn Sie zum Beispiel einen Gegenstand anschauen, so ist dazu der Astralleib nötig. Dass Sie ihn aber behalten, wenn Sie den Kopf wegwenden, dazu brauchen Sie schon den Ätherleib. Zum Anschauen gehört der astralische Leib; um die Vorstellung zu haben, dazu brauchen Sie schon den Ätherleib. Also wenn auch diese Tätigkeit des Ätherleibes für ein solches Behalten der Vorstellungen noch eine sehr geringe ist, wenn sie auch eigentlich erst dann in Betracht kommt, wenn sich bleibende Gewohnheiten, bleibende Neigungen, Temperamentsveränderungen und so weiter ergeben, man braucht hierzu doch schon den Ätherleib. Er muss da sein, schon wenn man eine einfache Vorstellung in der Erinnerung behalten will. Denn alles Behalten von Vorstellungen beruht in gewisser Weise auf Erinnerung.

Nun haben wir also durch die Erziehungseindrücke, durch die geistige Entwickelung des Menschen seinem freien Äthergliede allerlei eingefügt, und wir können uns nun fragen: Bleibt nun dieses freie Ätherglied ganz ohne Bedeutung für Wachstum und Entwickelung des Menschen? Nein, das ist nicht der Fall. Es beteiligt sich nach und nach, je älter der Mensch wird – nicht so sehr in den Jugendjahren –, dasjenige, was so seinem Ätherleib durch die Eindrücke der Erziehung einverleibt worden ist, an dem ganzen Leben des menschlichen Leibes, auch innerlich. Und Sie können sich am besten eine Vorstellung davon machen, wie sich das beteiligt, wenn Sie sich eine Tatsache mitteilen lassen, die gewöhnlich im Leben nicht in Betracht gezogen wird. Man meint ja, Seelisches hätte für das Leben des Menschen im Allgemeinen keine sehr große Bedeutung. Dennoch kann Folgendes vorkommen: Denken Sie sich einmal, ein Mensch bekomme eine Krankheit, einfach aus dem Grunde, weil er irgendwelchen ungeeigneten Verhältnissen eines Klimas ausgesetzt war. Nun müssen wir uns einmal hypothetisch vorstellen, dass dieser Mensch unter zweierlei Bedingungen krank sein kann: zum Beispiel so, dass er in dem freien Glied des Ätherleibes nicht viel zu verarbeiten hat. Nehmen wir an, er sei ein indolenter Mensch, auf den die Außenwelt wenig Eindruck machte, der der Erziehung große Schwierigkeiten entgegengesetzt hat, bei dem die Dinge zu dem einen Ohr hinein und aus dem anderen wieder herausgegangen sind. Ein solcher Mensch wird als Mittel des Gesundwerdens etwas nicht haben, was zum Beispiel ein anderer hat, dem ein reger, lebhafter Sinn eigen ist, der viel in der Jugend aufgenommen, der viel verarbeitet hat und daher für sein freies Glied des Ätherleibes sehr gut gesorgt hat. Das wird natürlich für die äußere Medizin erst noch festzustellen sein, warum sich bei dem einen größere Schwierigkeiten dem Heilungsprozess entgegenstellen als bei dem anderen. Dieses freie Glied des Ätherleibes, das energisch geworden ist durch mannigfaltige Eindrücke, das macht sich eben hier geltend, das beteiligt sich durch seine innerliche Beweglichkeit am Heilungsprozess. In zahlreichen Fällen verdanken die Menschen ihre schnelle Gesundung oder ihre schmerzlose Gesundung dem Umstande, dass sie in reger geistiger Beteiligung in der Jugend fleißig die Eindrücke, die sich ihnen darboten, aufgenommen haben. Da sehen Sie die Einflüsse des Geistes auf den Leib! Mit etwas ganz anderem hat man es in der Heilung bei einem Menschen zu tun, der stumpfsinnig durch das Leben geht, als bei einem, der dieses freie Glied des Ätherleibes nicht schwer und lethargisch hat, sondern bei dem es regsam geblieben ist. Sie können sich ja schon äußerlich von dieser Tatsache überzeugen, wenn Sie die Welt mit offenen Augen betrachten, wenn Sie beobachten, wie sich bei Erkrankungen geistig indolente und geistig regsame Menschen verhalten.

So sehen Sie, dass beim Menschen der Ätherleib doch noch etwas ganz anderes ist als bei der bloßen Pflanze. Der Pflanze fehlt dieses freie Glied des Ätherleibes, das den Menschen weiterentwickelt, und dass der Mensch ein solches freies Glied des Ätherleibes hat, darauf beruht im Grunde genommen die ganze Entwickelung des Menschen. Wenn Sie vergleichen die Bohnen von vor tausend Jahren mit den heutigen Bohnen, so werden Sie zwar einen gewissen Unterschied wahrnehmen, doch ist er im Wesentlichen sehr klein; die Bohnen sind im Wesentlichen in derselben Gestalt geblieben. Aber vergleichen Sie einmal die Menschen Europas im Zeitalter Karls des Großen mit den Menschen von heute: warum haben die Menschen heute ganz andere Vorstellungen und ganz andere Empfindungen? Weil sie immer ein freies Glied des Ätherleibes gehabt haben, wodurch sie etwas aufnehmen und ihre Natur umwandeln konnten. Das alles gilt im Allgemeinen. Jetzt müssen wir aber einmal betrachten, wie sich im Einzelnen diese ganze Wirkungsweise ausnimmt, die wir da charakterisiert haben.

Setzen wir den Fall, es könnte ein Mensch, wenn er einen Eindruck empfangen hat, diesen Eindruck nicht wieder aus seiner Erinnerung verwischen, sondern es bliebe dieser Eindruck da. Es wäre eine kuriose Sache zunächst, wenn Sie denken müssten, dass alles, was seit Ihrer Jugend auf Sie Eindruck gemacht hat, an jedem Tag des Lebens, von morgens bis abends, immer gegenwärtig wäre. Sie wissen ja, dass das nur eine gewisse Zeit nach dem Tode gegenwärtig ist. Da hat es seinen guten Zweck. Aber im Leben vergisst es der Mensch. Sie alle haben nicht nur Unzähliges vergessen, was Sie in Ihrer Kindheit erlebt haben, sondern auch vieles, was im vorigen Jahr – und auch gewiss einiges von dem, was gestern an Sie herangetreten ist. Eine Vorstellung, die aus dem Gedächtnis entschwunden ist, die Sie «vergessen» haben, ist nun keineswegs etwa aus Ihrer ganzen Wesenheit, aus Ihrem ganzen geistigen Organismus verschwunden. Das ist durchaus nicht der Fall. Wenn Sie gestern eine Rose gesehen und es nun vergessen haben, so ist doch das Bild der Rose noch in Ihnen vorhanden, und ebenso die anderen Eindrücke, die Sie aufgenommen haben, wenn sie auch für Ihr unmittelbares Bewusstsein vergessen sind.

Nun ist ein großer, gewaltiger Unterschied zwischen einer Vorstellung, während wir sie in unserer Erinnerung haben, und derselben Vorstellung, wenn sie aus unserer Erinnerung verschwunden ist. Also wir fassen ins Auge eine Vorstellung, die wir uns durch einen äußeren Eindruck gebildet haben und die jetzt in unserem Bewusstsein lebt. Dann blicken wir seelisch hin, wie sie nach und nach verschwindet, nach und nach vergessen wird. Aber sie ist da, sie bleibt im ganzen geistigen Organismus. Was tut sie da? Womit beschäftigt sich diese sozusagen vergessene Vorstellung? Sie hat ihr ganz bedeutungsvolles Amt. Sie fängt nämlich erst dann an, in der richtigen Weise an diesem Ihnen geschilderten freien Glied des Ätherleibes zu arbeiten und dieses freie Glied des Ätherleibes für den Menschen brauchbar zu machen, wenn sie vergessen ist. Es ist, als wenn sie erst dann verdaut wäre. Solange sie der Mensch verwendet, um durch sie etwas zu wissen, solange arbeitet sie nicht innerlich an der freien Beweglichkeit, an der Organisation des freien Gliedes des Ätherleibes. In dem Augenblick, wo sie in die Vergessenheit hinuntersinkt, fängt sie an zu arbeiten. So dass wir sagen können: Es wird in dem freien Gliede des menschlichen Ätherleibes fortwährend gearbeitet, fortwährend an ihm geschafft. Und was ist es, was da schafft? Das sind die vergessenen Vorstellungen. Das ist der große Segen des Vergessens! Solange eine Vorstellung in Ihrem Gedächtnis haftet, solange beziehen Sie diese Vorstellung auf einen Gegenstand. Wenn Sie eine Rose betrachten und die Vorstellung davon im Gedächtnis haben, beziehen Sie die Rosen-Vorstellung auf den äußeren Gegenstand. Dadurch ist die Vorstellung an den äußeren Gegenstand gefesselt und muss zu ihm ihre innere Kraft senden. In dem Augenblick aber, wo die Vorstellung von Ihnen vergessen wird, ist sie innerlich entfesselt. Da fängt sie an, Keimkräfte zu entwickeln, die innerlich an dem Ätherleib des Menschen arbeiten. So haben unsere vergessenen Vorstellungen für uns eine ganz wesentliche Bedeutung. Eine Pflanze kann nicht vergessen. Sie kann natürlich auch nicht Eindrücke empfangen. Sie könnte aber schon deshalb nicht vergessen, weil ihr ganzer Ätherleib zu ihrem Wachstum aufgebraucht wird, weil kein unverbrauchter Rest da ist. Sie hätte nichts, wenn Vorstellungen in sie hineinkönnten, was da zu entwickeln wäre.

Aber alles, was geschieht, geschieht aus der gesetzmäßigen Notwendigkeit heraus. Überall, wo etwas vorhanden ist, was sich entwickeln soll und nicht in seiner Entwickelung unterstützt wird, da wird für die Entwickelung ein Hindernis geschaffen. Alles, was in einem Organismus nicht in die Entwickelung eingefügt wird, das wird zu einem Hindernis für die Entwickelung. Nehmen Sie an, im Innern des Auges sonderten sich allerlei Einschlüsse ab, Substanzen, die nicht in die allgemeine Wässerigkeit des Auges aufgenommen werden könnten; da würde das Auge gestört werden in seinem Sehen. Es darf nichts bleiben, was nicht hineinverwoben wird, was nicht aufgenommen werden kann. So ist es auch mit den geistigen Eindrücken. Ein Mensch, der zum Beispiel Eindrücke empfangen könnte und diese Eindrücke ständig in seinem Bewusstsein behalten würde, der könnte sehr leicht dahin kommen, dass das Glied, das sich von den vergessenen Vorstellungen nähren soll, zu wenig von diesen vergessenen Vorstellungen erhielte und wie ein lahmes Glied die Entwickelung stören würde, anstatt sie zu fördern. Da haben Sie zugleich den Grund, warum es schädlich ist, wenn ein Mensch in der Nacht daliegt, und, weil er an gewissen Sorgen leidet, die Eindrücke durchaus nicht aus seinem Bewusstsein herausschaffen kann. Würde er sie vergessen können, so würden sie zu wohltätigen Bearbeitern seines Ätherleibes werden. Hier haben Sie handgreiflich den Segen des Vergessens, und hier haben Sie zugleich einen Hinweis auf die Notwendigkeit, dass Sie nicht zwangsmäßig diese oder jene Vorstellung festhalten, sondern vielmehr lernen sollen, dieses oder jenes zu vergessen. Es ist für die innere Gesundheit eines Menschen im höchsten Grade schädlich, wenn er gewisse Dinge durchaus nicht vergessen kann.

Was wir hier für die alltäglichsten Dinge des Augenblickes sagen können, das hat auch seine Anwendung auf ethisch-moralische Verhältnisse. Etwas, was wir die wohltätige Wirkung eines Charakters nennen können, der nichts nachträgt, beruht wirklich auch darauf. Es zehrt an der Gesundheit eines Menschen, wenn wir nachträgerisch sind. Wenn uns jemand einen Schaden zugefügt hat und wir den Eindruck dessen, was er uns getan hat, in uns aufgenommen haben und immer wieder darauf zurückkommen, sobald wir ihn sehen, dann beziehen wir diese Vorstellung des Schadens auf den Menschen, wir lassen sie dann nach außen strömen. Nehmen wir aber an, wir hätten es dahin gebracht, dem Menschen, der uns einen Schaden zugefügt hat, so die Hand zu drücken, wenn wir ihm wieder begegnen, als ob nichts geschehen wäre: dann ist das in Wahrheit heilsam. Und es ist kein Bild, sondern eine Tatsache, dass es heilsam wirkt. Eine solche Vorstellung, die sich als stumpf und unwirksam nach außen erweist, wenn uns ein Mensch etwas getan hat, die ergießt sich in demselben Augenblick nach innen wie lindernder Balsam für gar mancherlei, was im Menschen ist. Diese Dinge sind Tatsachen, und daraus können wir in einem noch weiteren Sinne den Segen des Vergessens sehen. Das Vergessen ist kein bloßer Mangel für den Menschen, sondern etwas, was zu den wohltuendsten Dingen im Menschenleben gehört. Würde der Mensch nur das Gedächtnis entwickeln und würde alles in dem Gedächtnis bleiben, was auf ihn einen Eindruck macht, dann würde ja sein Ätherleib immer mehr zu tragen haben, würde immer reicheren Inhalt bekommen, aber er würde gleichzeitig innerlich immer mehr und mehr verdorren. Dass er entwickelungsfähig wird, das verdankt er dem Vergessen. Ohnedies ist es ja so, dass keine Vorstellung ganz aus dem Menschen verschwunden ist. Das zeigt sich am besten bei jener großen Rückerinnerung, die wir unmittelbar nach dem Tode vor uns haben. Da zeigt es sich, dass kein Eindruck vollständig verloren gegangen ist.

Nachdem wir so den Segen des Vergessens für das alltägliche Leben in den neutralen und auch in den moralischen Gebieten ein wenig gestreift haben, können wir dieses Vergessen in seiner Wirksamkeit für das Leben in seinem großen Umfange während der Zeit zwischen dem Tode und einer neuen Geburt in Erwägung ziehen. Was ist denn im Grunde genommen Kamaloka, jene Durchgangszeit des Menschen, die da liegt vor seinem Eintritt in das Devachan, in die eigentliche geistige Welt? Dieses Kamaloka ist da, weil der Mensch unmittelbar nach dem Tode nicht vergessen kann seine Neigungen, seine Begierden, seine Genüsse, die er im Leben gehabt hat. Der Mensch verlässt im Tode zunächst seinen physischen Leib. Dann steht jenes Ihnen oft geschilderte große Erinnerungstableau vor der Seele. Das hört nach zwei, drei, spätestens vier Tagen vollständig auf. Dann bleibt eine Art Extrakt des Ätherleibes. Während der eigentliche umfängliche Teil des Ätherleibes sich herauszieht und sich auflöst im allgemeinen Weltenäther, bleibt eine Art von Essenz, von Gerippe, von Gerüst des Ätherleibes zurück, aber zusammengezogen. Der astralische Leib ist der Träger aller Instinkte, Triebe, Begierden, Leidenschaften, der Gefühle, Empfindungen und Genüsse. Nun würde ja der astralische Leib im Kamaloka nicht zu dem Bewusstsein der quälenden Entbehrung kommen können, wenn er nicht dadurch, dass er noch mit den Resten des Ätherleibes verbunden ist, fortwährend die Möglichkeit hätte, sich zu erinnern an das, was er im Leben genossen und begehrt hat. Und das Abgewöhnen ist ja im Grunde nichts anderes als ein allmähliches Vergessen dessen, was den Menschen an die physische Welt kettet. So also muss der Mensch, wenn er in das Devachan eintreten will, erst das Vergessen dessen lernen, was ihn an die physische Welt kettet. Also auch da sehen wir, dass der Mensch gequält wird dadurch, dass er noch eine Erinnerung hat an die physische Welt. So wie Sorgen für den Menschen quälend werden können, wenn sie nicht fort wollen aus dem Gedächtnis, so quälend werden auch die Neigungen und Instinkte, die nach dem Tode bleiben, und diese quälende Erinnerung an den Zusammenhang mit dem Leben drückt sich aus in alledem, was der Mensch durchzumachen hat während seiner Kamaloka-Zeit. Und in dem Augenblick, wo es ihm gelungen ist, alles das zu vergessen, was von Wünschen und Begierden gegenüber der physischen Welt vorhanden war, da treten erst die Errungenschaften und die Früchte des vorherigen Lebens so heraus, wie sie im Devachan wirksam sein müssen. Da werden sie Bildner und Werkmeister an der Gestaltung des neuen Lebens. Denn im Grunde ist es ja so, dass der Mensch im Devachan arbeitet an der neuen Gestalt, die er haben soll, wenn er wieder ins Leben tritt. Dieses Arbeiten, dieses Vorbereiten seiner späteren Wesenheit, das gibt ihm die Seligkeit, die er während des Devachans hindurch empfindet. Wenn der Mensch durch das Kamaloka durchgegangen ist, dann beginnt er schon mit der Vorarbeit für seine künftige Gestaltung. Das Leben im Devachan ist immer damit ausgefüllt, dass er jenen Extrakt, den er mitbekommen hat, dazu verwendet, um seine nächste Gestalt in ihrem Urbild auszubauen. Dieses Urbild formt er so, dass er da hineinarbeitet die Früchte des verflossenen Lebens. Das kann er aber nur dadurch, dass er vergisst, was ihm das Kamaloka so schwer gemacht hat.

Wenn wir also sprechen von einem Leiden und Entbehren im Kamaloka, so sehen wir, dass das davon herrührt, dass der Mensch nicht imstande ist, gewisse Zusammenhänge mit der physischen Welt zu vergessen, dass die physische Welt wie eine Erinnerung vor seiner Seele schwebt. Dann aber, wenn er durchgegangen ist durch «Lethes Flut», wenn er durch den Fluss des Vergessens geschritten ist, wenn er dieses Vergessen gelernt hat, dann werden die Errungenschaften und Erlebnisse der vorherigen Inkarnation dazu verwendet, um das Urbild, den Prototyp des nachfolgenden Lebens Stück für Stück heranzubilden. Und dann beginnt an die Stelle des Leidens die selige Lust des Devachans zu treten. Geradeso wie wir im gewöhnlichen Leben, wenn uns Sorgen quälen, wenn gewisse Vorstellungen aus unserem Gedächtnisse nicht herauswollen, wie wir da unserem Ätherleibe ein verholzendes Stück, ein verdorrendes Stück einschieben, das zu unserer Ungesundung beiträgt, geradeso haben wir in unserer Wesenheit ein Stück nach dem Tode, das zu unseren Leiden und Entbehrungen so lange beiträgt, als wir uns nicht durch das Vergessen alle Zusammenhänge mit der physischen Welt hinweggeschafft haben. So wie diese vergessenen Vorstellungen für den Menschen zu einem Keim von Gesundung werden können, so werden alle Erfahrungen des vorhergehenden Lebens zu einem Quell von Lust im Devachan, wenn der Strom des Vergessens durchschritten ist, wenn der Mensch alles das vergessen hat, was ihn an das Leben in der sinnlichen Welt bindet.

So also sehen wir, wie auch für den großen Umfang des Lebens diese Gesetze von Vergessen und Erinnerung durchaus gelten.

Nun könnten Sie vielleicht die Frage aufwerfen: Wie kann denn überhaupt der Mensch nach dem Tode Vorstellungen von dem haben, was im verflossenen Leben geschehen ist, wenn er dieses Leben vergessen muss? Es könnte jemand sagen: Könnt ihr denn überhaupt von Vergessen sprechen, da doch der Mensch den Ätherleib abgelegt hat und Erinnerung und Vergessen doch etwas mit dem Ätherleib zu tun haben? Es bekommen natürlich Erinnerung und Vergessen nach dem Tode eine gewisse andere Gestalt. Sie wandeln sich so, dass dann an die Stelle des gewöhnlichen Erinnerns das Lesen in der Akasha-Chronik tritt. Was in der Welt geschehen ist, ist ja nicht verschwunden, es ist objektiv da. Indem im Kamaloka hinschwindet die Erinnerung an den Zusammenhang mit dem physischen Leben, tauchen diese Ereignisse auf in einer ganz anderen Weise, indem sie sich dem Menschen in der Akasha-Chronik entgegenstellen. Er braucht also dann nicht den Zusammenhang mit dem Leben, der sich ihm aus der gewöhnlichen Erinnerung ergibt. Es werden sich uns alle solche Fragen, die aufgeworfen werden können, lösen. Dazu gehört aber, dass wir uns Zeit lassen, dass wir nach und nach diese Dinge erledigen, denn es ist nicht möglich, gleich alles zur Hand zu haben, was eine Sache begreiflich machen kann.

Es erklärt sich uns auch vieles im alltäglichen Leben, wenn wir diese Dinge, wie sie jetzt besprochen worden sind, wissen. Da zeigt sich uns vieles, was zum menschlichen Ätherleib gehört, in der eigenartigen Zurückwirkung der Temperamente auf den Menschen. Wir haben ja gesagt, dass diese bleibende Charaktereigentümlichkeit, die wir als Temperament bezeichnen, auch ihren Ursprung im Ätherleib hat. Nehmen wir einen Menschen mit einem melancholischen Temperament, der gar nicht hinauskommt über gewisse Vorstellungen, über die er immer nachsinnen muss. Das ist ganz anders als bei einem sanguinischen oder bei einem phlegmatischen Temperament, wo die Vorstellungen nur so hinschwinden. Ein melancholisches Temperament wird gerade in dem Sinn, wie wir es eben gesehen haben, der Gesundheit des Menschen abträglich sein, während ein sanguinisches Temperament der Gesundheit des Menschen in einem gewissen Sinne außerordentlich zuträglich sein kann. Natürlich dürfen diese Dinge nicht so genommen werden, dass man sagt: Der Mensch muss sich bemühen, alles zu vergessen. Aber Sie sehen, dass gerade aus diesen Dingen, wie wir sie kennen gelernt haben, das Gesunde und Zuträgliche eines sanguinischen oder phlegmatischen Temperamentes sich erklärt und das Ungesunde eines melancholischen Temperamentes. Natürlich ist die Frage, ob dann ein solches phlegmatisches Temperament auch in der richtigen Weise wirkt. Ein Phlegmatiker, der nur triviale Vorstellungen aufnimmt, wird sie leicht vergessen. Das kann ihn nur gesund machen. Aber wenn er nur solche Vorstellungen aufnimmt, kann es wiederum durchaus nicht für ihn gut sein. Da wirken verschiedene Dinge durcheinander.

Die Frage: Ist das Vergessen nur ein Mangel der Menschennatur oder doch vielleicht etwas Nützliches? – diese Frage wird uns durch die geisteswissenschaftliche Erkenntnis beantwortet. Und wir sehen auf der anderen Seite, wie auch starke moralische Impulse folgen können aus der Erkenntnis solcher Dinge. Wenn der Mensch glaubt, dass es für sein Heil – das ganz objektiv zu betrachten ist – zuträglich ist, wenn er zugefügte Beleidigungen und Verletzungen vergessen kann, so wird ein ganz anderer Impuls da sein. Solange er aber glaubt, dass das keine Bedeutung hat, wird kein Moralpredigen etwas nützen. Wenn er aber weiß, dass er vergessen soll und dass sein Heil davon abhängt, dann wird er wohl ganz anders diesen Impuls auf sich wirken lassen. Man braucht das nicht gleich egoistisch nennen, sondern wir dürfen sagen: Bin ich krank und siech, verderbe ich mein geistiges und seelisches und leibliches Innere, so bin ich auch für die Welt nichts nütze. Man kann auch die Frage des Wohlbefindens von einem ganz anderen Standpunkte aus betrachten. Wer ein ausgesprochener Egoist ist, bei dem werden ja auch solche Betrachtungen nicht viel nützen. Aber wer der Menschheit Heil im Auge hat und deshalb auch darauf bedacht ist, dass er mitwirken kann, also in der mittelbaren Art auch sein eigenes Heil im Auge hat – wenn der Mensch imstande ist, das zu bedenken, dann wird er aus solchen Betrachtungen auch moralische Früchte ziehen können. Und es wird sich eben zeigen, wenn Geisteswissenschaft eingreift in des Menschen Leben, indem sie ihm über gewisse geistige Verhältnisse die Wahrheit zeigt, dass sie ihm die größten ethisch-moralischen Impulse liefern wird, wie sie keine andere Erkenntnis und keine bloß äußerlichen Moralgebote ihm bieten können. Tatsachenerkenntnis der geistigen Welt, wie Geisteswissenschaft sie vermittelt, ist daher ein starker Impuls, der auch in Bezug auf die Moral die größten Fortschritte im Menschenleben hervorbringen kann.

GESUNDHEITSFRAGEN IM LICHTE DER GEISTESWISSENSCHAFT

Berlin, 14. Januar 1909

Das Thema, das uns heute beschäftigen soll, schließt eine Anzahl von Fragen ein, die den Menschen mit Recht auf das Allertiefste interessieren. Die Fragen nach der Gesundheit sind ja solche, die zusammenhängen mit alledem, was den Menschen lebenstüchtig macht, mit alledem, was ihm verhilft, seine Bestimmung in der Welt ungehemmt zu erfüllen, und es ist deshalb die Gesundheit gewiss für die meisten Menschen, in dem richtigen Lichte gesehen, etwa so, dass sie sie sozusagen anstreben, wie man äußere Güter anstrebt. Aber die Gesundheit ist auch als ein inneres Gut zu betrachten, wie die äußeren Güter zunächst nicht um ihrer selbst willen von dem gesund denkenden Menschen angestrebt werden, sondern als Mittel der Arbeit, als Mittel seines Wirkens und Schaffens. Daher können wir es wohl erklären, dass der Drang, die Sehnsucht, sich Aufklärung zu verschaffen über die Rätsel und Fragen des gesunden und kranken Lebens, insbesondere in unserer Gegenwart so tiefgehend sind. Allerdings ist im allgemeinen Denken jene Gesinnung wenig verbreitet, die geeignet ist, den Menschen empfänglich zu machen gerade für diejenigen Antworten, die man braucht, wenn man solche Fragen lösen will, welche so innig mit dem ganzen Wesen des Menschen zusammenhängen.

Es soll auch heute, wie schon einmal bei einer ähnlichen Gelegenheit, an einen alten Spruch erinnert werden, der manchem einfällt, wenn von Gesundheit und Krankheit gesprochen wird, an den Ausspruch: Es gibt so viele Krankheiten und nur eine einzige Gesundheit! – Dieser Ausspruch erscheint im Grunde genommen manchen so selbstverständlich als möglich, und dennoch ist er ein Irrtum, ein Irrtum im eminenten Sinne des Wortes, denn es gibt nicht bloß eine Gesundheit, sondern so viele Gesundheiten, wie es Menschen gibt. Das ist es gerade, was wir in unsere Gesinnung aufnehmen müssen, wenn wir die Fragen nach dem Gesunden und Kranken im richtigen Lichte sehen wollen. Wir müssen in unsere Gesinnung aufnehmen, dass der Mensch ein individuelles Wesen ist, dass jeder Mensch anders beschaffen ist als der andere, und dass, was dem einen heilsam und für den anderen schädlich und krank machend sein kann, ganz abhängt von seiner individuellen Beschaffenheit.

Dass diese Gesichtspunkte nicht so weit verbreitet sind, das zeigt eine Erfahrung, die jeder von uns alltäglich machen kann. Da fehlt dem einen dies oder jenes. Die Mutter erfährt es oder sie nimmt es wahr; auch sie erinnert sich, dass ihr in ähnlichen Fällen dies oder jenes geholfen hat, also darauf los! Dann kommt der Vater, der sich erinnert, dass etwas anderes geholfen hat. Dann kommt die Tante, dann der Onkel, der sagt: In die frische Luft gehen. – Diese Anordnungen sind oft so widersprechend, dass sie gar nicht erfüllt werden können. Jeder hat sein Heilmittel, auf das er eingeschworen ist. Das muss dann losgelassen werden auf den armen Kranken. Wer hätte es nicht erfahren, dass diese sich überstürzenden guten Ratschläge eigentlich eine recht missliche Sache sind, wenn dem Menschen dies oder jenes fehlt! Alle diese Dinge gehen hervor aus einer unrealistischen Denkweise, aus einer abstrakten Denkweise, aus einem Dogmatismus, der gar nicht beachtet, dass der Mensch ein individuelles Einzelwesen ist. Jeder Mensch ist ein Wesen für sich, und darauf kommt es vor allen Dingen an: diese Realität Mensch ins Auge zu fassen, wenn man es mit den Erscheinungen gesund und krank zu tun hat.

Nun entspringt ja eine solche Hilfsbedürftigkeit, wie sie der Mensch in der Krankheit hat, gewiss einer Artung seines inneren Wesens, die das Mitgefühl, das Mitleid seiner Umgebung wachrufen muss. Wir können begreifen, dass jeder gern helfend herbeispringen möchte, denn es ist dies nur ein Ausdruck dafür, welches tiefste Interesse gerade diese Fragen im Zusammenhange mit der ganzen Menschennatur hervorrufen. Allerdings, wenn man auf der einen Seite dieses tiefe Interesse ins Auge fasst, auf der anderen Seite aber nur ein klein wenig hineinblickt in das, was in unserer Zeit an verschiedenen Anschauungen über Gesundheit und Krankheit herrscht, dann kann man unter Umständen recht betrübt werden. Man könnte sagen, die Krankheit sei eine so wichtige Sache im Menschenleben und warum es denn geschehe, dass sich gelehrte und ungelehrte Leute, Mediziner und Laien, nicht nur über die Heilmittel für die einzelnen Krankheiten, nicht nur über die rechten Wege zur Gesundheit, sondern sogar über das Wesen des Krankseins in den mannigfaltigsten Theorien streiten. Es scheint manchmal, dass in unserer Zeit geistiger und wissenschaftlicher Betriebsamkeit der kranke und vielleicht auch der gesunde Mensch mehr als je den Parteianschauungen ausgesetzt ist, die von allen Seiten sich geltend machen in Bezug auf wichtige Fragen der Menschheitsentwickelung und des Menschheitswesens.

Dürfen wir nun – diese Frage wollen wir uns heute stellen – die Hoffnung hegen, dass die Geisteswissenschaft, die von den verschiedensten Seiten in diesen Vortragszyklen charakterisiert ist und noch charakterisiert werden wird, in gewisser Beziehung auch Licht bringen kann in die Theorien und Partei-Schattierungen, welche wir heute um uns herum erblicken, wenn wir die Ansichten über Gesundheit und Krankheit einmal an uns herantreten lassen? Es ist ja des Öfteren hier betont worden, dass die Geisteswissenschaft einen höheren Gesichtspunkt anstrebt, der es möglich macht, dasjenige, was die Menschen in Parteiungen zerteilt, dadurch, dass sie nur gewisse engere Kreise des Anschauens und Beobachtens haben, zu überbrücken, zu zeigen, wie das eine dem anderen widerstrebt, weil es einseitig ist. Wir haben öfter gezeigt, dass die Geisteswissenschaft gerade da ist, um das Gute in den Einseitigkeiten zu suchen und die Harmonie unter den verschiedenen Einseitigkeiten herzustellen. Einseitigkeit – so muss sich derjenige sagen, der die Sache nicht nur oberflächlich betrachtet – dürfte es doch sein, was uns da entgegentritt, wenn von seiten dieser oder jener Krankheitslehre diese oder jene Dogmen mit einer anspruchsvollen Autorität gepredigt werden. Sie haben alle erfahren, welche Summen von Wortschattierungen einander gegenüberstehen in Bezug auf diese Fragen. Jeder weiß, dass auf der einen Seite dasjenige steht, was man oftmals – heute sogar schon leider im verächtlichen Sinne – die Schulmedizin nennt mit ihrer allopathischen Richtung, und auf der andern Seite jene Richtung, die man als die homöopathische bezeichnet. Dann haben aber auch weite Kreise Zutrauen gefunden zu dem, was man Naturheilkunde nennt, die vielfach eine andere Auffassung über Krankheit und Gesundheit hat und nicht nur das empfiehlt, was auf den kranken Menschen Bezug hat, sondern auch das, was als richtig gehalten wird für den gesunden Menschen, damit er sich stark und kräftig erhält. Alles ist gefärbt von dieser oder jener Seite, von der medizinischen oder von der mehr der Naturheilkunde zuneigenden Richtung.

Wenn wir uns einmal vor Augen führen, von welchen Gesichtspunkten aus ein solcher Streit über

Krankheit und Gesundheit zum Beispiel existiert zwischen den Anhängern der medizinischen Heilweise und den Anhängern der Naturheilkunde, dann hören wir die Anhänger der Naturheilkunde sagen, die Medizin suche für jede Krankheit ihr bestimmtes Heilmittel und sei der Anschauung, dass die Krankheit etwas ist, was den Menschen wie etwas Äußerliches, wie durch eine äußerliche Ursache ergreift, und dass es für die Krankheit auch dieses oder jenes äußerliche Heilmittel gibt. Wir wollen bei solcher Charakteristik nicht vergessen, dass das, was da von der einen oder anderen Seite gesagt wird, oft über das Ziel hinausschießt, und wollen nicht vergessen, dass in vielen Dingen die beiden Parteien einander unrecht tun. Aber wir wollen einzelne Vorwürfe herausheben, die uns zur Verdeutlichung dienen können. Der Anhänger der Naturheilkunde wird hervorheben, dass der Schulmediziner eine Entzündung in gewissen Fällen durch Eisumschläge lindere, dass man bei Gelenkrheumatismus durch Salizylsäure und so weiter zu helfen suche.

Besonders weit gehende Anhänger der Naturheilkunde werden kräftige Vorwürfe erheben. Sie werden sagen: Wenn der Magen zu viel Magensäure absondert, dann werde der Mediziner versuchen, diese Magensäure zu neutralisieren. Der Naturheilkundige sagt, das gehe an dem tiefen Wesen der Krankheit und vor allem an dem tiefen Wesen des Menschen vorbei. Das alles treffe den Nagel nicht auf den Kopf. Nehmen wir an, der Magen sondert wirklich zu viel Magensäure ab, so sei das ein Beweis dafür, dass etwas im Organismus nicht richtig ist. Im richtig funktionierenden Organismus wird nicht zu viel Magensäure abgesondert. Wenn man daher die Magensäure, die abgesondert wird, neutralisiert, so hebt man damit noch nicht die Kraft auf, die Tendenz, zu viel Magensäure zu schaffen. Man müsse also seine Aufmerksamkeit nicht darauf richten, die Magensäure einfach zu beseitigen. – Das sagen diejenigen, die gegen die Schulmedizin polemisieren. Man würde, wenn man die Magensäure beseitigt, den Organismus geradezu aufstacheln, ja recht viel Magensäure zu erzeugen. Man müsse also tiefer gehen und die eigentliche Ursache aufsuchen. So insbesondere wird der Naturheilkundige, wenn er es bis zum Fanatiker bringt, wettern: Wenn jemand an Schlaflosigkeit leidet, so hilft man ihm so, dass man ihm Schlafmittel gibt. Schlafmittel beseitigen die Schlaflosigkeit für eine gewisse Zeit; aber die Ursache wird nicht beseitigt. Die müsse aber beseitigt werden, wenn man dem Kranken wirklich helfen will.

Unter denjenigen, die wieder mehr auf dem Arzneistandpunkte stehen, gibt es zwei Parteien: die Allopathen, die ein spezifisches Heilmittel gegen gewisse Krankheiten anführen und gebrauchen, sozusagen ein Heilmittel, welches die Aufgabe hat, diese Krankheit zu beseitigen. Sie gehen also von der Anschauung aus, die Krankheit sei eine Störung im Organismus, und diese Störung müsse durch ein Mittel beseitigt werden. Dagegen wenden die Homöopathen ein, das sei durchaus nicht das eigentliche

Wesen der Krankheit, sondern das eigentliche Wesen der Krankheit sei eine Art Reaktion des ganzen Organismus gegen eine Schädlichkeit in demselben. Es sei eine Schädlichkeit aufgetreten im Organismus, und nun wehre sich der ganze Organismus gegen diese Schädlichkeit. Man müsse an den Symptomen, die beim kranken Menschen auftreten, erkennen und darauf Rücksicht nehmen, dass dasjenige, was Fieber und so weiter erzeugt, eine Art Aufruf sei an die Kräfte im Organismus, die den eingeschlichenen Feind vertreiben können. – Daher werden sich die Anhänger dieser Art Heilweise sagen, man müsse gerade zu denjenigen Mitteln in der Natur greifen, welche, wenn der gesunde Organismus sie zu sich nimmt, die betreffende Krankheit hervorrufen. Man dürfe natürlich dann diese Mittel dem kranken Organismus nicht in großer Dosis verabreichen, sondern so, dass die Kraft der betreffenden Mittel gerade hinreicht, um im gesunden Organismus die Krankheitserscheinungen hervorzurufen. Das ist das Prinzip der Homöopathie: dasjenige, was im gesunden Organismus eine bestimmte Krankheit hervorrufen kann, das schließt auch die Möglichkeit in sich, den kranken Organismus zu einer bestimmten Gesundheit zu führen. Das wird angewendet, wenn der Organismus die Krankheitserscheinungen durch sich selber zeigt. Man denkt das so: Man sieht, dass der Organismus, wenn er im kranken Zustande die Symptome zeigt, sich bemüht, die Krankheit zu überwinden. Deshalb müssen wir ihn mit diesem Mittel unterstützen.

Daher kommt es, dass der homöopathische Arzt in vielen Fällen gerade das Gegenteil von dem anwenden wird, was der allopathische Arzt anwenden würde. Der Naturheilkundige steht oftmals – nicht immer – auf dem Standpunkte, dass es vor allen Dingen nicht darauf ankomme, ob irgendein spezifisches Heilmittel eine Krankheitsschädigung aufhebt, sondern darauf, den Organismus und seine Tätigkeit zu unterstützen, damit er seine inneren Gesundungskräfte wachruft, um dem Krankheitsprozess zu begegnen. So wird der Naturheilkundige vor allen Dingen darauf bedacht sein, auch dem Gesunden zu raten, die Tätigkeit des Organismus zu unterstützen. Er wird zum Beispiel betonen, dass es auch für Gesunde weniger darauf ankomme, ob eine Nahrung dem Menschen besonders Gelegenheit gäbe, sagen wir, sich vollzupfropfen mit dem oder jenem, sondern ob eine Nahrung dem Menschen Gelegenheit gibt, seine inneren Kräfte so aufzurufen, dass sie in Tätigkeit kommen. Die Funktion der Organe wird der Naturheilkundige vor allem auch beim gesunden Menschen betonen. Er wird sagen: Du wirst dein Herz nicht kräftig machen, wenn du dich bemühst, es mit Aufpeitschungsmitteln fortwährend anzuspornen, sondern du wirst dein schwaches Herz dadurch stärken, dass du es in Tätigkeit bringst, dass du Bergpartien machst. – So wird derjenige, der auf die Tätigkeit der Organe des Menschen ausgeht, auch dem gesunden Menschen anraten, seine Organe in sachgemäßer Art in Tätigkeit zu bringen.

Sie werden vielleicht, wenn Sie sich um solche Fragen gekümmert haben, weil sie doch die heutige Gegenwart so viel beschäftigen, gesehen haben, mit welcher Heftigkeit und mit welchem Dogmatismus von der einen oder anderen Seite oft gekämpft wird, wie die eine und die andere Seite dasjenige hervorhebt, was sie für ihre Anschauung vorzubringen hat. So kann die sogenannte Schulmedizin hinweisen darauf, wie sie im Laufe der letzten Jahrzehnte, namentlich im Verlaufe der letzten drei bis vier Jahrzehnte, großartige Fortschritte gemacht hat gerade dadurch, dass sie darauf gesehen hat, wie die äußeren Krankheitserreger an die Menschen herankommen und sozusagen ihre Gesundheit vernichten. Diese Schulmedizin kann darauf hinweisen, wie sie besorgt war darum, die äußeren Lebensverhältnisse, die Zustände des Lebens so zu verbessern, dass in der Tat in der letzten Zeit ein Aufschwung eingetreten ist. Gerade diejenige Richtung der Medizin, die vorzugsweise auf die äußeren Krankheitserreger sieht – sagen wir auf die heute so gefürchtete Bakterien- und Bazillenwelt –, sie hat dadurch, dass sie auf dem Gebiete der Hygiene und der sanitären Einrichtungen eingegriffen hat, in einer für die Laien gar nicht so durchschaubaren Weise, ungeheuer viel getan für die Verbesserung der Gesundheitsverhältnisse.

Es wird gewiss – wiederum nicht ganz mit Unrecht, aber auch nur mit einseitigem Recht – von mancher Seite betont, wie diese Schulmedizin geradezu eine Bakterien- und Bazillenfurcht hervorgerufen hat.

Aber auf der anderen Seite hat die Untersuchung dazu geführt, dass die Gesundheit im Laufe der letzten Jahrzehnte sich gebessert hat. Mit Stolz weist der Anhänger dieser Richtung darauf hin, um wie viel Prozent die Sterblichkeit da oder dort in den letzten Jahrzehnten tatsächlich abgenommen hat. Diejenigen aber, die sagen, dass es nicht so sehr die äußeren Ursachen sind, welche für die Betrachtung der Krankheit wichtig sind, sondern dass es vor allen Dingen die im Menschen liegenden Ursachen sind, sozusagen seine Krankheitsdisposition, sein vernünftiges oder unvernünftiges Leben, die werden wieder besonders betonen, dass in den letzten Zeiten zwar unleugbar die Sterblichkeitsziffern abgenommen haben, dass aber die Krankheitsziffern in einer erschreckenden Weise zugenommen haben. Es wird betont, wie gewisse Krankheitsformen zugenommen haben: Herzkrankheiten, Krebskrankheiten, Krankheitsformen, die in den Schriften der älteren Zeit gar nicht verzeichnet sind, Krankheiten der Verdauungsorgane und so weiter. Diejenigen Gründe, die von der einen oder anderen Seite hervorgebracht werden, sind durchaus beachtenswert. Es kann von einem oberflächlichen Standpunkte aus nicht eingewendet werden, die Bazillen oder Bakterien seien nicht Krankheitserreger furchtbarster Art. Es kann aber auf der anderen Seite auch nicht geleugnet werden, dass der Mensch in gewisser Beziehung entweder gefestigt und gesichert ist gegen Einflüsse solcher Krankheitserreger oder es nicht ist. Er ist es nicht, wenn er sich durch unvernünftige Lebensweise um seine Widerstandskraft gebracht hat.

In vieler Beziehung sind diejenigen Dinge bewundernswert, welche von der Schulmedizin in der letzten Zeit geleistet worden sind. Sehen wir doch einmal zu, wie subtil und fein die Untersuchungen über das gelbe Fieber sind im Zusammenhange mit der Art und Weise, wie es durch gewisse Insekten von Mensch zu Mensch übertragen wird. Wie vorzüglich sind die Untersuchungen in Bezug auf die Malaria und Ähnliches! Aber auf der anderen Seite können wir sehen, dass berechtigte Ansprüche dieser Schulmedizin sehr leicht unser ganzes Leben durchkreuzen können, was in gewisser Beziehung zu einer Tyrannis führen kann. Denken wir, dass – und zwar mit einem gewissen Recht – behauptet wird, in einer in der letzten Zeit häufig auftretenden Krankheit, in der Genickstarre, werde durchaus nicht der Krankheitserreger auf einen anderen Menschen übertragen, sondern Menschen, die ganz gesund sind, die ganz fern stehen dem, was man mit Genickstarre bezeichnet, könnten in gewisser Beziehung die Krankheitskeime in sich tragen und sie auf andere Menschen übertragen, so dass Menschen, die unter uns herumgehen, die Träger von Krankheitskeimen seien, von denen dann der, welcher dazu geeignet ist, die Krankheit bekommen kann, während die anderen, welche die Keime tragen, durchaus nicht von der Krankheit befallen zu werden brauchen. – So kann es dahin kommen, dass die Forderung aufgestellt wird, die Krankheitskeimträger zu isolieren; denn wenn irgendeiner an Genickstarre erkrankt ist, so sei er gar nicht einmal so gefährlich wie diejenigen, welche ihn pflegen, und die vielleicht die eigentlichen Krankheitsträger sind. Zu welchen Konsequenzen das führen muss, wenn man diesen Menschen den Umgang erschweren wird, das mag man daraus erkennen: Man kann anführen – und es ist schon angeführt worden –, dass an irgendeiner Schule plötzlich eine größere Anzahl von Kindern an dieser oder jener Krankheit erkrankt ist. Man wusste nicht, woher die Krankheit gekommen ist. Da stellte sich heraus, dass die Lehrer die eigentlichen Krankheitsträger waren. Sie selber sind nicht von der Krankheit befallen worden, aber die ganze Schule ist von ihnen angesteckt worden. Der Ausdruck Bazillenträger oder Bazillenfänger ist ein Ausdruck, der von einer gewissen Seite sogar mit einem gewissen Recht gebraucht werden kann. Dass derjenige, welcher Laie ist, auf diesem Gebiete, in allem, was ihm entgegentreten kann von dieser oder jener Seite, sich recht wenig auskennt, das ist schon aus dem wenigen, was wir anführen konnten, fast selbstverständlich.

Nun müssen wir sagen: Gerade das, was wir am Eingange unserer heutigen Betrachtung ausgeführt haben, müsste ein Leitfaden sein dafür, was eigentlich aus alledem, was an guten Gründen von der einen oder anderen Seite vorgebracht wird, wirklich zum Heile führen kann. Als Grundsatz im tiefsten und bedeutsamsten Sinne muss gelten, dass vor allen Dingen vor uns stehen muss die Individualität des

Menschen als eine einzelne Realität, als etwas, was anders ist als jeder andere Mensch. Wir werden uns das sozusagen an einem konkreten Beispiel am besten vor die Seele führen. Nehmen wir einen Menschen an – ich erzähle Dinge, die durchaus vorgekommen sind –, der hatte von Kindheit auf einen gar nicht zu bezwingenden Widerwillen gegen alles, was Fleisch heißt. Er konnte Fleisch nicht ausstehen, nicht essen. Auch nicht das konnte er essen, was irgendwie mit Fleisch im Zusammenhang steht. Er entwickelte sich ganz gesund bei seiner Pflanzenkost. Das ging so lange, bis sich wohlwollende, gute Freunde fanden, die all ihre Energie einsetzten, um diesen Menschen doch von seiner paradoxen Empfindung abzubringen. Sie waren es, die ihm zuerst anrieten, sozusagen ihm zusetzten, zunächst es einmal mit ein wenig Fleischbrühe zu versuchen. Immer weiter und weiter wurde er getrieben, bis zum Hammelfleisch. Er fühlte sich dabei immer kränker und kränker. Nach einiger Zeit trat bei ihm auf eine Erscheinung wie ein besonderer Überfluss des Blutes. Es trat auf eine eigentümliche Schlafsucht, und der gute Mann ging zugrunde an einer Gehirnentzündung. Hätte man diesen Menschen nicht jeden Tag aufs Neue darauf aufmerksam gemacht, was er eigentlich essen solle, hätte man ihn bei seinem gesunden Trieb gelassen, hätte man nicht geglaubt, «eines schicke sich für alle», hätte man sich nicht auf einen Dogmatismus eingeschworen, sondern die individuelle Natur des Menschen respektiert, dann wäre er gesund geblieben.

Aus einem solchen Fall sollen wir aber nicht mehr lernen, als die individuelle Natur des Menschen zu respektieren. Wir sollen nicht ein neues Dogma davon ableiten; wir sollen im Leben einzig davon profitieren. Wenn wir uns überlegen, wodurch in diesem Falle der Tod herbeigeführt wurde, so können wir uns die Frage in folgender Art beantworten. Wenn Sie sich erinnern, was das letzte Mal[5] im Vortrage über die Ernährungsfragen gesagt worden ist, so können wir daraus entnehmen, was man für die Pflanze Lebensprozess nennt: die Pflanze verarbeitet leblosen Stoff in lebendigen Organismus. Im menschlichen Organismus wird dieser Prozess weitergeführt. In gewisser Beziehung ist dasjenige, was der menschliche und auch der tierische Organismus tut, ein Abbau dessen, was die Pflanze aufgebaut hat. Darauf beruht gerade in bestimmter Beziehung der menschliche und der tierische Leib, dass abgebaut und zerstört wird, was die Pflanze aufgebaut hat.

Nun kann ein Organismus so eingerichtet sein, dass er sozusagen gerade den Punkt für sich verlangt, da zu beginnen, wo die Pflanze mit ihrer Tätigkeit aufgehört hat. Dann kann es für ihn im eminentesten Sinne schädlich sein, wenn er den Teil des Prozesses, den das Tier mit den Pflanzenprodukten bereits besorgt hat, sich abnehmen lässt. Das Tier führt den Pflanzenprozess bis zu einem gewissen Punkte. Der Mensch kann ihn dann nur fortsetzen, wenn er tierische Nahrung genießt. Wenn ihm das abgenommen wird und seine Natur gerade über die Kräfte verfügt, welche die Pflanzennahrung frisch und kräftig aufnehmen und sie dann weiterführen, dann wird er in sich Kräfte haben, die jetzt unverwendbar sind für irgendeine Nahrungsaufnahme und Nahrungsverarbeitung. Diese Kräfte sind da. Diese schaffen wir deshalb nicht weg dadurch, dass wir ihnen nichts zu tun geben, denn dann werfen sie sich auf etwas anderes. Sie wirken im Inneren des menschlichen Organismus. Die Folge davon ist, dass sie als überschüssige Tätigkeit den Organismus im Inneren zerstören.

Man sieht, wenn man einen geisteswissenschaftlich nur wenig geschärften Blick hat, wie die überstürzende Tätigkeit, die den ganzen Menschen eingenommen hat, sich auf sein Blut und sein Nervensystem wirft. Man sieht, wie es in dem Organismus so ausgesehen hat wie bei einem Hausbau, in den man ungeeignetes Material hineingeworfen hat, so dass man sich bemühen muss, das ungeeignete Material zu ordnen und zu arrangieren. Nicht ungestraft leitet man die Kräfte der Verarbeitung der Nahrungsstoffe nach dem Innern. Wenn wir uns das klarmachen, dann werden wir tolerant werden gegen die Natur. Dann dürfen wir aber jedenfalls nicht in der entgegengesetzten Richtung wieder zum Schablonisieren kommen und Fanatiker werden des Vegetarismus für einen jeden Menschen. Gerade so, wie sich bei dem Manne, den ich gestern als radikales Beispiel angeführt habe, die nach innen abgelenkte Tätigkeit überstürzte, so kann es auf der anderen Seite sein, dass es Menschen gibt, welche über diese Tätigkeit gar nicht verfügen, die sozusagen den Pflanzenprozess unmittelbar da, wo er aufgehört hat, nicht fortsetzen können. Solche Menschen werden, wenn man ihnen zumutet, ohne weiteres Vegetarier zu werden, erleben, dass sie die Kräfte, welche sie da brauchen, notdürftig aus dem eigenen Organismus nehmen müssen. Sie werden diesen dadurch in gewisser Weise verzehren und ihm zum Verhängnis werden. Das kann also durchaus auf der anderen Seite vorliegen. Worum es sich handelt, ist, dass wir den Blick abwenden von diesen oder jenen Dogmen, wenn wir von gesunden und kranken Verhältnissen reden, abwenden davon, dieses oder jenes zu essen oder es in dieser oder jener Weise zu bearbeiten. Das, worauf es ankommt, ist, die Bedürfnisse des einzelnen Menschen kennen zu lernen. Es kommt vor allem darauf an, dass dieser einzelne Mensch die Möglichkeit hat, in gewisser Beziehung seine Bedürfnisse selber zu fühlen und zu erkennen.

Wenn eine materialistische Anschauung gar zu sehr auf das bloß Stoffliche sieht, so wäre es doch für diese materialistische Anschauung notwendig, nach dieser Richtung hin sich zu bewegen, die eben jetzt angedeutet worden ist. Gerade für sie wäre es unmöglich, zu schablonisieren und zu vereinheitlichen. Und wie schablonisiert man in unserer heutigen Zeit! Da wird zum Beispiel ohne weiteres gesagt, dieses oder jenes Nahrungsmittel oder diese oder jene Arznei sei schädlich. Es ist eine förmliche Epidemie derartiger Schablonen ausgebrochen. Es ist daher nichts anderes möglich, als jede Einseitigkeit auszuschließen. Es ist ausgebrochen eine Epidemie unter dem Stichwort «Kraft», so dass man in den naturheilkundlichen Versammlungen sagt, das Leiden sei eine Kraft. Damit glaubt man, genug getan zu haben, um dies oder jenes anzuschwärzen. Gerade die, welche nur ausgehen sozusagen von der Materie, statt in erster Linie den Menschen als Individualität zu betrachten, die sollten darauf Rücksicht nehmen, wie dann, wenn man zum Beispiel die anderen Lebewesen überblickt, das Wort Kraft im Grunde genommen jeden Sinn verliert. Unsere Anschauungen in Bezug auf solche Dinge müssen sich da modifizieren. Wer würde da nicht daran denken, dass für den Menschen eine besondere Kraft zu bezeichnen ist! Die Kaninchen fressen ohne Schaden den Schierling. Sokrates starb daran. Andere sagen: Akonit – Eisenhut – kann ich nehmen. Die Pferde können es auch fressen. – Bei all diesen Dingen müssen wir also, wenn wir sie regelrecht betrachten, uns immer die Organisation vorhalten. Wenn wir uns die Organisation vorhalten, so können wir sagen: Im Kleinen, also homöopathisch, ist es richtig für die Menschennatur. Eines schickt sich nicht für alle!

Die Frage ist also: Wie kann der Mensch einen Maßstab für seine Gesundheit in sich selber gewinnen? Ein gewisser Leuchtturm könnte uns das Kind sein. Wir müssen uns daher durchaus vorhalten, dass das Kind in ganz bestimmter Weise seine Sympathie oder Antipathie für dieses oder jenes Nahrungsmittel äußert. Das sorgfältige Beobachten dieser Dinge würde für jeden von uns von außerordentlicher Wichtigkeit sein. Es ist manchmal durchaus verfehlt, wenn derjenige, der das Kind zu lenken und zu erziehen hat, die Instinkte, die da beim Kinde auftreten und sich als bestimmtes Wollen äußern, austreiben will, wenn man sie als Ungezogenheit betrachtet. Vielmehr ist es so: Was das Kind als Trieb, als Instinkt äußert, ist ein Anzeichen dafür, wie die innere Natur des Kindes geartet ist. Was das Kind empfindet und was ihm schmeckt, wonach es Verlangen hat, da ist die Empfindung, das Verlangen nichts anderes als der Ausdruck dafür, dass der Organismus gerade dieses oder jenes verlangt. Ja, ein Fingerzeig, oder, wenn wir radikaler sprechen wollen, ein Leuchtturm für die Erkenntnis kann uns dieser leitende Instinkt des Kindes sein. Wir können das ganze Leben durchwandern und werden überall die Notwendigkeit finden, dass der Mensch in gewisser Beziehung gerade diese innere Sicherheit in sich entwickeln muss für das, was sein Organismus braucht. Das ist unbequemer, als sich von dieser oder jener Partei die Richtung vorschreiben und sich sagen zu lassen, was für alle Menschen das Gute ist. Die Menschen haben es nicht so leicht wie die, welche mit einem bestimmten allgemeinen Rezept kommen, das man sich nur in die Tasche zu stecken braucht, um zu wissen, was den Menschen gesund machen und was ihn krank machen kann. Gerade wenn man mit einem solchen Leitfaden die Gesundheit betrachtet, wird man auch in Bezug auf die Krankheit sich klarmachen müssen, dass für die verschiedenen Menschen die verschiedensten Bedingungen für Gesundheit und Heilung vorliegen.

Nehmen wir an, jemand habe Migräne. Wer dogmatisch auf dem Standpunkt steht – wenn auch die Schulmedizin dies nicht mehr wahrhaben will –, dass es spezifische Heilmittel gibt für diese oder jene Krankheit, der wird sagen: Man gebe dem Kranken bestimmte Heilmittel gegen Migräne. Der Kranke wird sich wohler fühlen, und die Migräne wird verschwinden. – Wer auf dem Standpunkte der Naturheilkunde steht, wird sagen, wenn er es zum Fanatiker gebracht hat, man kann so nur das Symptom bekämpfen. Man hat manchem damit mehr geschadet als genützt. – Eine andere Richtung sagt: Es komme darauf an, dass man auf die tieferen Ursachen einwirke. Und dann wird man mit allerlei Dingen kommen, die vielleicht mehr auf den Kern der Sache eingehen, aber im einzelnen Fall nicht so schnell ein Wohlbefinden herstellen, die aber wirklich tiefer auf den Krankheitskern eingehen. Man wird, wenn man sich dogmatisch auf den einen oder anderen Standpunkt stellt, das eine oder das andere bekämpfen oder für nützlich halten. Es handelt sich aber dabei, so sonderbar es klingen wird, wiederum um den Menschen. Es könnte einen Menschen geben, der sich sagte: Es wäre ganz schön, wenn ich ein Hilfsmittel bekommen könnte, und nicht zu warten brauchte, bis die Naturheilkunde dem Kern der Sache beigekommen ist, um dann dasjenige zu tun, was es möglich macht, die Krankheit in ihren tieferen Wurzeln zu erkennen und zu beheben. Aber dazu habe ich keine Zeit. Es ist für mich viel wichtiger, dass ich die Migräne so bald wie möglich loskriege und meiner Tätigkeit zurückgegeben werde.

Nehmen wir ferner an, dieser Mensch habe eine die Gesundheit fördernde Beschäftigung. Diese sei so geartet, dass er, wenn er durch das Migränemittel das Übel losbekommen hat, sich der günstigen Wirkung der Arbeit hingeben kann. Dann wird ihm das Migränemittel wenig schaden. Er wird wenig aus seiner Tätigkeit gerissen sein, die ihm nützt. Dann wird er nach einem Rezept einer Medizin suchen, die ihn in diesem Zustand erhält.

Dieser Vergleich muss aber bis zu Ende geführt werden. Man darf nicht vergessen, dass einer da sein muss, der da arbeitet, wie der Führer auf der Lokomotive. Nehmen wir an, bei einer Lokomotive zeige sich, dass eine Kurbel besonders schwer geht. Da kann jemand sagen: Daran sehe ich, dass dieser Lokomotivfahrer diese Kurbel nicht treiben kann, weil er zu schwach ist. Ich werde einen anderen Lokomotivfahrer nehmen, der mehr Kräfte anwenden kann, um die Kurbel zu treiben. – Ich will jetzt auf das Zentrum der Sache eintreten. Ein anderer sagt: Man kann ja vielleicht das, was die Kurbel schwer zu drehen macht, ein wenig ausfeilen, damit die Kurbel leichter geht. Dann kann der Zugfahrer bleiben. – Man bessert also die Maschine aus. Natürlich darf man das nicht als ein allgemeines Rezept anwenden.

Wenn man sagen wollte: Wenn der Lokomotive etwas fehlt, so muss man daran feilen –, so braucht das nicht immer richtig zu sein. Der betreffenden Lokomotive kann es auch abträglich sein. Man muss also feststellen, ob man das tun darf. Damit hat man den Schaden einfach ausgebessert. Wenn der Betreffende die innere Kraft hat, so wird er, wenn er nicht gestört wird, schon selbst die Sache wieder in Ordnung bringen.

Freilich würde es unter Umständen schlimm sein, wenn man in derselben Weise dächte gegenüber jemand, der die Migräne loshaben will, aber hinterher nicht zu einer mit seiner Tüchtigkeit zusammenhängenden Tätigkeit geht. Er würde besser getan haben, wenn er die innere Ursache weggeräumt hätte. So müssen wir also durchaus auch in diese Materie eingedrungen sein, da es ja für das, was man Krankheit nennt, spezifische Heilmittel gibt. Die Anwendung spezifischer Heilmittel hängt in gewisser Beziehung damit zusammen, dass unser Organismus ein selbstständiges Wesen ist und in vieler Richtung ausgebessert werden kann, wenn man sich darauf verlassen darf, dass nach der Ausbesserung eine recht tüchtige Kraft vorhanden ist, die den Menschen antreibt. Das braucht man nicht zu betonen. Man treibt dann eben nur eine Symptom-Kur, denkt aber eben doch nur materialistisch. Der Naturheilkundige wird manches wissen, was ganz richtig wäre zur Beseitigung dieser oder jener Krankheit, aber ebenso wahr ist es, dass dieser oder jener Mensch nicht die Zeit und nicht die Kraft hat, es durchzuführen, und dass es sich vor allen Dingen für ihn darum handelt, den Schaden wieder gutzumachen.

Sie sehen, dass hier nicht in einseitiger, sondern in allseitiger Weise gesprochen werden muss. Wenn man die Unbequemlichkeit mit in Kauf nimmt, so genügt es nicht, Theoretiker zu sein, sondern man muss auf die Tatsachen eingehen und hat auf den ganzen Menschen zu sehen. Darauf kommt es an. Wenn wir so sprechen, müssen wir uns darüber klar sein, dass wir dann, wenn wir den Menschen als Realität betrachten wollen, den ganzen Menschen ins Auge fassen müssen. Der ganze Mensch ist für die Geisteswissenschaft nicht bloß der äußere physische Leib, namentlich dann nicht, wenn unsere Gesundheit nicht bloß durch äußere, sondern durch innere Ursachen zerstört ist. Was viel mehr in Betracht kommt, ist die Gesundheit des Ätherleibes, der ein Kämpfer ist gegen die Krankheit bis zum Tode. Dann ist der Astralkörper da, ein Träger der Leidenschaften, Triebe, Begierden und Vorstellungen, und endlich der Ich-Träger, der macht, dass der Mensch ein selbstbewusstes Wesen ist.[6] Wer auf den ganzen Menschen Rücksicht nehmen will, der muss auf die vier Glieder durchaus Rücksicht nehmen, und wenn die Frage nach der Gesundheit in Betracht kommt, so handelt es sich nicht nur darum, dass wir Störungen berücksichtigen, die den physischen Leib betreffen, sondern auch das betrachten, was in den höheren Gliedern, in den mehr seelisch-geistigen Gliedern, vor sich geht.

Da müssen wir feststellen, dass nicht bloß von dieser oder jener Parteischattierung, sondern von unserer ganzen zeitgenössischen Gesinnung gesündigt wird.

Sehr selten wird die Frage gestellt: Wie hängt die Gesundheitsfrage mit den seelisch-geistigen Dingen zusammen? Man wird heute viel Zustimmung finden, wenn man davon spricht, wie viel dieses oder jenes Nahrungsmittel Brennwert hat, wie dieses oder jenes Nahrungsmittel im Organismus wirkt. Man wird auch viel Zustimmung haben, wenn man auseinander setzt, wie die Luft in dieser oder jener Gegend ist, wo dieses oder jenes Sanatorium sich befindet, wie die Luft und auch das Licht da oder dort wirkt. Aber nicht wird man finden Anklang, wenn man seelische Eigenschaften als Ursache bestimmter Erklärungen angibt.

Nehmen wir die Instinkte des Kindes, wie sie sich ausdrücken in Sympathie und Antipathie gegenüber diesem oder jenem Nahrungsmittel. Wir nehmen zunächst als Anzeiger das Ekelgefühl, mit dem sie dies oder jenes zurückweisen. Es weist darauf hin, dass das, was in sich gesundheitliches Sein ist, was zugrunde liegt dem physischen Leibe – der Astralleib, der aus Gefühlen und Empfindungen, Impulsen und Begierden besteht –, dass auch das Geistig-Seelische gesund sein muss, und dass, wenn eine Abweichung von dem Gesunden im Menschen erblickt wird, man auf die Gesundung des astralischen Leibes achten muss. Frägt man heute wirklich noch, wenn diese Fragen in Betracht kommen, was des Menschen

Seele erlebt gegenüber der Außenwelt? Der Geisteswissenschaftler muss darauf hinweisen, dass es im Grunde genommen wenig darauf ankommt, ob man einen Menschen, der an diesem oder jenem krankt, da oder dorthin schickt, weil man glaubt, die Luft oder das Licht werde aus äußeren mechanischen oder chemischen Gründen gesundend auf ihn wirken. Eine andere, viel größere Frage ist es, ob ich ihn in eine solche Umgebung bringen kann, dass er Freude, Erhebung, in gewisser Beziehung eine Durchleuchtung seines ganzen Gefühlslebens nach einer bestimmten Richtung erfahren kann. Wenn wir dies im Großen betrachten, so werden wir auch verstehen, dass es zu dem Gesundsein gehört, wenn dem Menschen eine Speise schmeckt, dass der Mensch sozusagen in seinem Geschmacke, in der unmittelbaren Geschmacksempfindung, in der Annehmlichkeit und Freude, die ihm die Speise bereitet, einen Gradmesser haben muss für dasjenige, was er essen soll, und dass der Mensch auf der anderen Seite an dem richtig auftretenden Hungergefühl einen Gradmesser haben soll dafür, wann sein Organismus essen soll.

Es sind nicht bloß von der materiellen Welt herkommende Einflüsse, welche diese innere Sicherheit im Menschen zerstören, es sind in den weitaus meisten Fällen durchaus auch Einflüsse aus dem geistigen Leben, welche in dem Menschen die Sicherheit des Hungertriebes untergraben. Statt dem Menschen im richtigen Moment einen gesunden Hunger beizubringen, läuft die geistige Natur so ab, dass dieser

Hunger nicht da ist, sondern Appetitlosigkeit. Ein Mensch, der die Bedürfnisse seines Organismus in der richtigen Weise entwickelt hat, so dass ihm das Richtige schmeckt und sympathisch ist und auch seinem Organismus dienen kann, ein solcher wird auch das richtige sympathische Gefühl haben, um die richtige Umgebung, die seiner Gesundheit dient in Bezug auf Licht und Luft, zu finden, so dass ihm zur richtigen Zeit der Hunger danach kommt.

Das sind Forderungen, die einen Zusammenhang mit dem gesundheitlichen Leben haben und die zu dem hinführen, was der astralische Leib und das Ich beizutragen haben zu dieser Gesundheit. Leicht wird der Einwand gemacht: wenn jemand Hunger habe, könne er nicht von dem Gefühle und von der Empfindung leben. Das ist wahr. Auch wenn man ihm eine leckere Speise vorsetzt, so dass ihm unter Umständen das Wasser im Munde zusammenfließt, kann man ihn nicht sättigen, indem man ihm imaginäre Geschmacksfreuden beschafft. Leicht ist dieser Einwand zu machen. Was wir ihm geben können an dem, was seine Seele so beeinflusst, dass sie in richtiger Weise die Empfindungen und Vorstellungen ablaufen lässt, das ist ganz gut; dass wir ihn dadurch nicht sättigen und gesund machen können, ist selbstverständlich. Aber was dabei übersehen wird, ist ein anderes. Nicht die Nahrung können wir regulieren, wohl aber den Geschmack regeln bis zum Hungergefühl. Hier mündet das, was sich heute zersplittert, weil es nur vom Standpunkte äußerlicher, stofflicher

Betrachtung gehandhabt wird, ein in das Geistig-Seelische; es mündet so ein, dass wir das geistig-seelische Leben treffen.

Es ist nicht einerlei, ob der Mensch diese oder jene Speise mit Lust zu sich nimmt, ob er in dieser oder jener Umgebung lebt, diese oder jene Arbeit verrichtet, oder ob er sie mit Unlust tut. Damit hängt in geheimnisvoller Weise, mehr als mit irgendetwas anderem, das zusammen, was man seine innere Gesundheitsdisposition nennt. Wenn wir beim Kinde sehen, dass es richtige Instinkte entwickelt, und wenn man die Möglichkeit hat, seine inneren Instinkte zu beobachten, die es gradmäßig haben muss, so ist es notwendig, dass das Erwachen des Geistig-Seelischen so lebt, dass die richtigen Bedürfnisse zur rechten Zeit vor die Seele hintreten. So ist es notwendig, dass der Mensch fühlt und empfindet, was für ein Verhältnis er herstellen soll zwischen sich und der Außenwelt. Das Leben ist im weitesten Umfange geeignet, den Menschen in Irrtum über Irrtum zu bringen über dieses sein Verhältnis zur Außenwelt. Und gerade unsere heutige Geistesrichtung ist in mehr als einer Richtung die Veranlassung solcher Irrtümer.

Damit wir uns besser verstehen, möchte ich auf den kleinen Anfang hinweisen, den wir mit einer bestimmten Heilweise gemacht haben. In München wird von einem unserer geisteswissenschaftlichen Genossen eine Art von Kur- oder Heilweise versucht, wie sie sich ergibt aus den Anschauungen der Geisteswissenschaft heraus. Wer heute glaubt, auf den

Menschen könnten in gesundem Sinne wirken nur stoffliche, physisch-chemische und physiologische Einflüsse, der wird erstaunt sein, dass die Menschen in eine besonders eigenartig gefärbte Kammer geführt werden, und dass da durch die Kräfte einer gewissen Farbe und durch andere Dinge, die hier nicht weiter erörtert werden können, auf die menschliche Seele gewirkt wird. Allerdings kann dabei nicht auf die Oberfläche gewirkt werden. Da müssen Sie aber sehen den Unterschied zwischen dieser Wirkungsweise in den Kammern, also einer Art Kammer-Therapie, einer Art Farben-Therapie, und dem, was man Licht-Therapie nennt. Wenn der Mensch mit Licht bestrahlt wird, so liegt dem der Gedanke zugrunde, das Licht, das physische Licht, unmittelbar wirken zu lassen, so dass man sich sagt, wenn man diesen oder jenen Lichtstrahl auf den Menschen wirken lässt, so werde durch die Wirkung von außen auf den Menschen gewirkt. Darauf wird bei der erwähnten Farben-Therapie nicht Rücksicht genommen.

Bei dieser der Geisteswissenschaft entnommenen Heilweise, die unser Freund Dr. Peipers eingerichtet hat, ist nicht darauf gerechnet, was die Lichtstrahlen als solche, unabhängig von der menschlichen Seele, auf den Menschen bewirken, sondern es ist Rücksicht darauf genommen, was als Vorstellung einer Seele – sagen wir unter Einwirkung der blauen Farbe, nicht des Lichtes – auf dem Umwege durch die Seele bewirkt wird. Es ist beabsichtigt, dadurch auf den ganzen körperlichen Organismus zurückzuwirken.

Diesen gewaltigen Unterschied zwischen dem, was man sonst Licht-Therapie nennt, und dem, was man hier Farben-Therapie nennen kann, muss man ins Auge fassen. Es kommt dazu, dass gewisse Kranke ausgefüllt sind mit dem Inhalte einer ganz bestimmten Farbenvorstellung. Man muss wissen, dass Farben in sich Kräfte enthalten, die dann in Erscheinung treten, wenn sie uns nicht nur bestrahlen, sondern in unserer Seele wirken. Man muss wissen, dass gewisse Farben etwas sind, das fördernd wirkt, dass eine andere Farbe etwas ist, was Sehnsuchtskräfte auslöst, dass eine dritte Farbe etwas ist, was die Seele über sich selbst erhebt, und eine andere Farbe etwas, das die Seele unter sich herunterdrückt. Wenn wir auf diese physisch-geistige Wirkung sehen, dann wird sich uns zeigen, was der Urgrund des Physischen und Ätherischen ist: dass unser astralischer Leib der eigentliche Bildner des Physischen und Ätherischen ist. Das Physische ist nur eine Verdichtung des Geistigen, und das Geistige kann wieder zurückwirken auf das Physische, wenn es in der richtigen Weise durchwirkt und durchlebt wird. Dann werden wir uns den Grundgedanken, der einer solchen Sache zugrunde liegt, vor Augen führen können, so dass wir auch Hoffnung haben dürfen dadurch, dass wir wieder eine Wissenschaft haben, die hinweist darauf, wie im Menschen Geistig-Seelisches lebt und dass durch die Krankheit im Geistig-Seelischen sich die Störung als Krankheit im Physischen ausdrückt.

Wer sich das klarmacht, wird hinsichtlich der Gesundheitsfragen auf die Geisteswissenschaft hoffen dürfen. So leicht es ist, zu sagen: Mit Weltanschauung könnt ihr einen Menschen nicht füttern, – so ist es doch auch wahr, dass von der Weltanschauung die Gesundheit des Menschen abhängt. Für die heutige Menschheit ist das ein Paradoxon, für die Zukunft eine Selbstverständlichkeit! Ich will es noch ein wenig weiter erörtern. Man kann sagen: Der Mensch muss auf die reine objektive Wahrheit kommen, er muss sie begreifen, muss sie zu genauen Abbildern der äußeren physischen Tatsachen machen. – Eine solche Forderung kann man als Theoretiker aufstellen. Man kann einen Menschen als Ideal hinstellen, der sich bemüht, nur das zu denken, was die Augen sehen, die Ohren hören und die Hände betasten können. Da kommt nun die Geisteswissenschaft und sagt: Ihr könnt das, was wirklich ist, niemals begreifen, wenn ihr nur auf das geht, was äußerlich wahrnehmbar ist, was die Augen sehen, die Ohren hören, die Hände greifen können. Was wirklich ist, enthält das Geistige als Urgrund. Das Geistige kann man nicht wahrnehmen. Man muss es durch Mitproduktion des Geistigen und Seelischen erleben. Zum Geistigen braucht man produktive Kräfte. Der Geisteswissenschaftler ist, wenn er von dem eigentlichen Teile seiner Wissenschaft spricht, nicht immer in der Lage, handgreiflich vorzuführen, was zu seinen Begriffen führt. Er schildert dasjenige, was nicht mit Augen, Ohren oder Händen gefasst werden kann, weil es mit den Augen des Geistes verfolgt werden muss. Da kann man dann sagen: Das ist ja eine Schilderung von etwas, das es in der sinnlichen Welt gar nicht gibt. Für uns ist Wahrheit das, was ein inneres Abbild der äußeren Wirklichkeit gibt. – Eine solche Theorie mag man aufstellen, aber über Wahrheit, über Erkenntnis und Wirklichkeit wollen wir heute nicht sprechen. Wir wollen über den Gesundheitswert sprechen. Die Sache ist so, dass alle diejenigen Vorstellungen, die wir bloß von der äußeren sinnlichen Wirklichkeit abstrahieren, die sozusagen nur Abbilder sind dessen, was man mit Augen sieht, mit Ohren hört, mit Händen betastet, welche nicht beruhen auf der inneren Mittätigkeit der Seele beim Schaffen von Bildern, alle diese Abstraktionen, alle treu an der Wirklichkeit der äußeren Sinne haftenden Vorstellungen haben keine inneren Bildekräfte. Daher bleibt die Seele tot; sie rufen die Seele nicht auf, ihre innerlich schlummernden Kräfte in Tätigkeit zu bringen und damit den Organismus in das richtige Fahrwasser seiner Tätigkeit zu bringen.

Es mögen noch so sehr die äußeren Tatsachenfanatiker davon sprechen, man solle die Wirklichkeit nicht mit Bildern der übersinnlichen Welt durchsetzen. So paradox es auch klingt, diese Bilder bringen unseren Geist wieder in eine Tätigkeit, die ihm angemessen ist. Sie bringen ihn wieder in Einklang mit dem physischen Organismus. Derjenige, der an den rein abstrakten Vorstellungen der bloß materialistischen Wissenschaft haftet, der tut aus seinem

Geistigen nichts für seine Gesundheit. Wer positiv nur Abstraktionen in seinem Begreifen sich schafft, macht seine Seele öde und leer, und er ist immer darauf angewiesen, das äußere Instrument des Leibes zum Träger der Gesundheit und zum Träger der Krankheit zu machen. Wer in ungeordneten und verkehrten Vorstellungen lebt, der weiß auch nicht, wie er sich in geheimnisvoller Weise voll pumpt mit den Ursachen der Zerstörung seines Organismus. Daher stehen die Geisteswissenschaftler auf dem Standpunkte, dass durch das, was die Geisteswissenschaft über die übersinnliche Welt geltend macht – über jene Welt, die wir nicht mit unseren Sinnen erkennen, sondern in stiller Weise innerlich wachrufen müssen –, wir unsere Seele innerlich so regsam machen, dass ihre Tätigkeit in Einklang steht mit der geistigen Welt, aus der heraus unser ganzer Organismus geschaffen worden ist. Daher wird unser Organismus nicht durch kleinliche Mittel zur Gesundung gebracht, sondern die Geisteswissenschaft selbst ist das große Heilmittel zur Gesundung.

Derjenige, der aus dem großen Gesichtspunkte der Welt seine Gedanken bildet, diese Gedanken lebendig macht, der ruft eine solche innerliche Tätigkeit hervor, dass auch seine Gefühle und Empfindungen in einer harmonischen, die Seele beseligenden Weise abfließen. Wer auf seine Gedanken so wirkt, wirkt auch auf seine Willensimpulse, und diese wirken dann in einer gesunden Weise. Aber nur dadurch, dass wirklich eine gesunde Weltanschauung, eine gesunde Harmonie der Gedanken unsere Seele erfüllt, werden auch unsere Empfindungen und im Zusammenhange damit unsere Lust und Unlust, unsere Sympathie und Antipathie, unser Verlangen und unser Abscheu so geregelt, dass wir der Welt so gegenüberstehen, dass wir im einzelnen Falle wissen, was zu tun ist, wie das Kind, dessen Instinkt noch nicht verdorben ist. So werden wir in unserer Seele innerlich diejenigen Gefühle und Empfindungen und Willensimpulse und Begierden wachrufen, die uns eine sichere Richtschnur im Leben sind, die uns anweisen, was zu tun ist, um das richtige Verhältnis zu der Außenwelt und zu uns selber hervorzurufen.

Es ist nicht zu viel gesagt, wenn wir sagen: Klare, helle Gedanken, umfassende Gedanken, wie sie nur durch eine umfassende, auf das Ganze der Welt, also auch auf das Übersinnliche gehende Weltanschauung hervorgerufen werden können, sind Voraussetzung für die Gesundheit. Reine, dem Objektiven des Geistes entsprechende Gefühle, wie sie solchen Gedanken entsprechen und solchen Willensimpulsen, die werden den Menschen die Möglichkeit geben, den gesunden Hunger zu empfinden. Wenn man den Menschen auch nicht mit Weltanschauung füttern kann, wird es doch möglich, in dem, was für seine Seele das Entsprechende ist, das Richtige zu finden, zu suchen das für ihn Entsprechende und zu verabscheuen, was nicht entsprechend ist. Die Gedanken, welche Abbilder sind für die übersinnliche Welt, sind das beste Verdauungsmittel – wenn auch als Paradoxon.

Sie sind nicht bloß Gedankenkräfte, die auch gut für die Verdauung sind, sondern sie wirken günstig auch dadurch, dass sie durch die geistkräftigen Gedanken in sich die Kräfte wachrufen, welche die Verdauung in geregelter Weise vor sich gehen lassen.

Solange die Menschen diesen Ruf der Geisteswissenschaft nicht vernehmen, solange sie immer wieder glauben, dasjenige, was ihnen in dieser oder jener Krankheitsform in dieser oder jener Weise entgegentritt, das habe seine Sühne gefunden, wenn man ein entsprechendes Mittel dafür gefunden hat, solange werden sie die Wichtigkeit der Geisteswissenschaft nicht erkannt haben. Sie werden auch nicht erkannt haben, inwiefern die Gesundheit im Wesen der Entwickelung eine Rolle spielt. Auch die gehen nicht weit genug, welche sagen, man solle nicht Symptom-Kuren ausführen. Auch sie erfassen nicht den geistigen Kern. Wer an die Geisteswissenschaft herantritt, der wird finden, dass sie eine Weltanschauung ist, durch welche innere Seligkeit fließt, eine Weltanschauung der Lust und Freude, dass sie Voraussetzung ist, um das große Heilmittel für die Gesundheit zu fördern. Leichter ist es, dieses oder jenes Mittel zu gebrauchen, als sich in den Strom der Geisteswissenschaft zu begeben, um das zu finden, was die Menschen immer gesunder und gesunder machen wird. Dann wird man aber einsehen, wenn man sich in diese Geisteswissenschaft hineinbegibt, dass es wahr ist, was ein altes Wort sagt: «In einem gesunden Körper wohnt eine gesunde Seele», aber dass es falsch ist, dieses Wort materialistisch aufzufassen. Wer da glaubt, er müsse dieses Wort materialistisch auffassen, der soll nur auch gleich sagen: Hier sehe ich ein Haus. Dieses Haus ist schön. Also schließe ich daraus, weil dieses Haus schön ist, so muss es auch hervorgebracht haben einen schönen Besitzer. Das schöne Haus macht einen schönen Besitzer. – Vielleicht ist der doch etwas klüger, der sagt: Hier ist ein schönes Haus; daraus schließe ich, dass darin ein Besitzer lebt, der Geschmack hat. Ich sehe in dem Besitzer des schönen Hauses einen Menschen von gutem Geschmack, und in dem Haus das äußere Anzeichen dafür, dass der Besitzer ein Mensch von gutem Geschmack ist.

Vielleicht findet sich aber auch der Gescheite, der sagt: Weil äußere Mächte den Körper gesund gemacht haben, hat sich der Körper wieder eine gesunde Seele formiert. – Aber richtig ist es nicht, sondern Recht hat wohl, wer da sagt: Hier sehe ich den gesunden Körper. Das ist ein Zeichen dafür, dass er aufgebaut sein muss von einer gesunden Seele. Er ist gesund, weil die Seele gesund ist. – Deshalb kann man sagen: Weil man das äußere Symptom des gesunden Leibes erblickt, deshalb muss da eine gesunde Seele zugrunde liegen. Eine materialistische Zeit mag sich das Wort: «Einem gesunden Leibe muss eine gesunde Seele zugrunde liegen» ganz materialistisch auslegen. Die Geisteswissenschaft aber zeigt uns, dass in einem gesunden Leibe eine gesunde Seele am Werke ist.

GEISTESWISSENSCHAFT ALS LEBENSGUT

Berlin, 23. April 1914

Es war ja während dieser Vortragsreihe des Öfteren darauf hingewiesen worden, dass die Geisteswissenschaft nicht bloß eine Theorie über die Welt sein will, die man annimmt oder ablehnt wie andere Theorien, sondern dass die Geisteswissenschaft hofft ein wirkliches neues Lebenselement sein zu können, etwas, das eindringen kann in den ganzen Menschen, in die Verfassung des ganzen Menschen, in die, man möchte sagen, «Weltenstimmung» des ganzen Menschen, und dass der Mensch durch solches Durchdringen mit Geisteswissenschaft an ihr ein wirkliches Lebensgut hat. Was in dieser Beziehung schon an den entsprechenden Stellen der einzelnen Vorträge angedeutet worden ist, es soll heute nicht nur zusammengefasst, sondern etwas ausführlicher beleuchtet werden.

Im Verlaufe der Vorträge dieses Winters ist ja gerade darauf immer wieder und wieder hingewiesen worden, wie Geistesforschung auf etwas ganz anderem beruht als jegliche andere Forschung, besonders jegliche andere Forschung in unserer Zeit. Erwähnt wurde, dass bei jeder andern Forschung, ja überhaupt bei jeder Betätigung der menschlichen Seele im Leben es vor allem darauf ankommt, dass der Mensch seine Urteilskräfte, seine Willenskräfte, so wie er sie einmal hat, entfaltet, und dass er sie unmittelbar anwendet. Stehen wir dem Leben gegenüber, so sind wir gezwungen, an unser Urteil unmittelbar zu appellieren, um in diesem oder jenem Sinne eine Entscheidung zu treffen; und andererseits, stehen wir dem Leben so gegenüber, dass unser Wille in Anspruch genommen werden soll, so können wir nur jene Willensstärke zur Anwendung bringen, die wir entfaltet haben durch unsere normale Erziehung. Kurz, wir sind in jedem Augenblicke des gewöhnlichen Lebens, aber auch der gewöhnlichen Wissenschaft, dazu gezwungen, uns selber so hinzunehmen, wie wir nun einmal sind.

Demgegenüber steht die Geisteswissenschaft eigentlich ganz anders da. Und gerade die Tatsache, dass sie in dieser Beziehung ganz anders ist, schafft ihr ja Gegner und Widersacher in unserer Zeit in Hülle und Fülle. Der Geistesforscher kann sich nicht so nehmen, wie er ist. Bei der Schilderung des Lebens zwischen dem Tode und einer neuen Geburt habe ich das besonders hervorgehoben. Was wir sonst im Leben unmittelbar auf die äußere Welt anwenden, was wir von unserer Urteilskraft, von unserm Willen und den sonstigen Seelenimpulsen entfalten, unmittelbar im Augenblick sozusagen entfalten und anwenden müssen auf die äußere Welt, um über diese Entscheidungen zu treffen oder auf sie zu wirken, das verwendet der Geistesforscher zunächst wie zu einer Vorbereitung für den Erkenntnisstandpunkt, den er erst nach dieser Vorbereitung gewinnen soll. Die Reife des Urteils, die Stärke des Willens werden zunächst nicht nach außen hin angewendet, nicht so, dass wir unmittelbar Entscheidungen treffen oder Willensakte in Szene setzen, sondern sie werden in einem geistigen Prozess so angewendet, dass der Geistesforscher die innere Technik, die innere Handhabung der Urteilskräfte darauf verwendet, seine Seele vorwärts zu bringen, sie immer reifer und reifer zu machen. Und der Wille wird so geübt, dass eine Entwickelung der Seele zu einem andern Gesichtspunkt möglich ist, als der ist, auf dem man schon steht. Man könnte daher sagen: Was sonst unmittelbar auf die Welt angewendet wird – in der Geistesforschung wird es zur Vorbereitung angewendet für das, was nach dieser Vorbereitung erst gewonnen werden soll. Dass die Seele sich umschaffe zu einem andern Erkenntnis- und Willensinstrument, als sie zunächst ist, darauf kommt es an. Daher auch jene Stimmung, in welcher der Geistesforscher der Erkenntnis gegenüber ist, und von der ich schon in diesen Vorträgen gesprochen habe, jene Stimmung, die sich darin ausdrückt, dass er eigentlich immer das Gefühl hat: Was du sonst unmittelbar angewendet hast, um die Dinge zu beurteilen – jetzt musst du es abziehen von der äußeren Welt, um dich selbst vorwärts zu bringen; jetzt musst du warten, bis deine Seele reif geworden ist, um die Erkenntnis der Wahrheit an dich herankommen zu lassen.

So wird das, was sonst gleichsam von unserer Seele nach außen strömt, zunächst auf die Arbeit an dieser Seele selbst verwendet. Dadurch aber wird über den Menschen eine Stimmung der Aktivität gebracht, eine Stimmung des inneren Tätigseins, nicht jene Stimmung des einfachen Hinnehmens der Welt, des Sich-Überlassens der Welt; und damit werden in der Seele aufgerufen die Kräfte, die man nennen könnte die neuen Tätigkeitskräfte der Seele.

Und dann haben wir anderes gesehen, wovon man sagen kann, dass es das eben Gesagte sogar noch weiter bekräftigt und erhärtet: dass alles, was zunächst an äußeren Sinneswahrnehmungen oder an Denken und Vorstellen, die an das Gehirn gebunden sind, dem Menschen zur Verfügung stehen, der Geistesforschung keine Erkenntniskräfte liefern kann, sondern dass die Geisteswissenschaft zunächst appellieren muss an die Belebung von Kräften, welche sonst in der Seele schlummernd bleiben. Aufmerksam habe ich gemacht, dass die wirklich im echten wahren Sinne hellseherisch zu nennende Erkenntnis darauf beruht, dass in jedem Augenblick der geisteswissenschaftliche Forscher in die Vorgänge und Dinge, die er erkennen will, selber untertauchen muss, und dass dies, was er wahrnehmen und erkennen will, sofort erlischt, wenn er nicht mit seiner ganzen tätigen Seele untertaucht. Einer äußeren Farbe oder einem äußeren Ton gibt man sich passiv hin; sie wirken auf uns. Was wir in der geistigen Welt erkennen wollen, kann nur in Tätigkeit erkannt werden. In dem Augenblick, wo wir uns in der geistigen Welt mit passiver Seele den Dingen und Wesenheiten gegenüberstellen, würde das Erkannte erlöschen oder sich in Halluzinationen oder Illusionen verwandeln, wenn es noch da ist. Keinen Augenblick darf die Seele auf dem geistigen Felde ruhen.

Wenn wir dies bedenken, dass die Seele zu den Stufen der geistigen Erkenntnis, die ich dargestellt habe in meiner *Geheimwissenschaft* und in *Wie erlangt man Erkenntnisse höherer Welten?* als die Stufen des imaginativen, des inspirierten und des intuitiven Erkennens, nur aufsteigen kann, indem sie fortdauernd innere Tätigkeit entfaltet, dann werden wir einsehen, dass die geisteswissenschaftliche Forschung den Menschen nur Erkenntnisse überliefern kann, die auch eine besondere Art des Verständnisses notwendig machen. Ich habe schon wiederholt darauf hingewiesen, dass man, um zu verstehen, was der Geistesforscher in den geistigen Welten erkundet, nicht selber Geistesforscher zu sein braucht, obwohl die genannten Bücher zeigen, dass in unserer Zeit bis zu einem gewissen Grade jeder ein Geistesforscher werden kann. Denn es gibt in jeder Seele eine unmittelbare, geheime Sprache, durch die sie verstehen kann, was der Geistesforscher sagt, auch wenn sie nicht selbst geistesforscherisch tätig sein kann, wie man ein Bild verstehen kann, auch wenn man nicht Maler ist. Aber auch zu diesem Verständnis muss sich die Seele des Menschen der Gegenwart erst hindurchringen; denn nichts ist dem Menschen der

Gegenwart näher liegend als zu sagen: Die Wahrheit muss an mich herankommen; ich muss mich passiv zu ihr verhalten, sie muss mir gegeben werden! Man fühlt sich förmlich unsicher, wenn man erst etwas tun soll, wenn man die Seele erst heranbilden soll, um die Wahrheit zu erkennen. Daher kann dem Geistesforscher sehr leicht entgegengehalten werden: Du stellst Wahrheitsbegriffe auf, die nicht so sind, wie die Wahrheitsbegriffe des äußeren Lebens oder der äußeren Wissenschaft; und diese Wahrheitsbegriffe sagen: ich glaube, was mir durch die Tatsachen bekräftigt ist, was ich mir sozusagen offenbaren lasse durch die Tatsachen.

Vor vielen Jahren gestattete ich mir, diese Art, der Erkenntnis und dem Leben gegenüberzustehen, auf der einen Seite Tatsachenfanatismus zu nennen. Auf der andern Seite steht eine gewisse Dogmatik, der man sich hingibt, eine Dogmatik der Tatsachen, die für die Seele ganz dasselbe bedeutet, wenn sie auch auf einem andern Felde liegt, als irgendeine andere Dogmatik. Man fühlt sozusagen, dass man keine innere Kraft, ich möchte sagen, keine Schwung- und Tragkraft hat, um die Wahrheit zu erfassen, um die Wahrheit in der Seele gegenwärtig sein zu lassen, wenn man sich nicht mehr am Gängelbande der äußeren Tatsachen oder der diese Tatsachen beschreibenden äußeren Wissenschaft geführt weiß. Geisteswissenschaft macht allerdings notwendig, weil sie über Dinge und Vorgänge zu sprechen hat, die nicht dem Felde des gewöhnlichen Lebens angehören, dass man sich durchringt zu einem Verständnis, das nicht an einem Gängelbande der äußeren Tatsachen hängt und das sich auch nicht einer Dogmatik der Tatsachen unterwirft, sondern das in einem inneren, seelischen Erleben das Licht der Wahrheit leuchtend erfühlt. Inneres Erfassen der lebendigen Wahrheit ist das, woran sich die moderne Seele erst gewöhnen muss. Man kann geradezu sagen: die moderne Seele ist nicht fähig, sich aufzuraffen, jene starken inneren Kräfte zu entwickeln, die notwendig sind, um sich die Wahrheit nicht diktieren zu lassen, sondern sie unmittelbar zu erleben. Dieses Gefühl aber ist notwendig, wenn die geisteswissenschaftlichen Ergebnisse geprüft und verstanden werden sollen von den Seelen. Wenn man sich aber zu einem solchen inneren Erleben der Wahrheit durchringt, dann ist für jede Seele Geisteswissenschaft unmittelbar verständlich. Denn nicht das spricht gegen die Geisteswissenschaft, was manche gegen sie vorbringen, dass da oder dort, irgendwo auf dem Felde der Naturwissenschaft oder der Geschichtswissenschaft etwas wäre, wovon man sagen könnte: das kann doch davon überzeugen, dass die so genannten geisteswissenschaftlichen Wahrheiten Irrtümer oder Phantastereien wären. Nichts ist im ganzen Umfange der naturwissenschaftlichen oder der geschichtswissenschaftlichen Erkenntnis da, was nicht im vollen Einklange stände mit den Erkenntnissen der Geisteswissenschaft. Das wurde in diesen Vorträgen oft betont. Aber die, welche sich zunächst in das naturwissenschaftliche Denken eingewöhnen, auch in das geschichtswissenschaftliche Denken, die gewöhnen sich gewisse Denkgewohnheiten an, saugen gleichsam Vorurteile damit ein, und diese Vorurteile sind es, die man erst überwinden muss. Nicht aus den Urteilen der Wissenschaft heraus, sondern aus der Vorurteilshaftigkeit heraus, erwächst die Gegnerschaft gegen die Geisteswissenschaft. Und wenn man bedenkt, was in den hier gehaltenen Vorträgen gesagt worden ist: dass durch die Geisteswissenschaft Erkenntniskräfte geschaffen werden, die nicht wie ein passives Hinschauen mit den Augen oder wie ein passives Hinhören mit den Ohren sind, sondern wie eine innere Geste, wie ein inneres Hinhören mit der Seelenphysiognomie, was also etwas Aktives werden muss, wenn die Seele in die geistige Welt eindringen will, so wird man begreifen, dass der Geisteswissenschaft Verständnis auch nur entgegengebracht werden kann, wenn sich die Menschenseelen allmählich daran gewöhnen, aus ihren Tiefen die tätigen Seelenkräfte heraufzuholen, jene Kräfte, die als freie innere Betätigungen in der Seele belebt werden müssen.

Ich habe es aus dieser Gesinnung heraus bisher geradezu vermieden, obwohl das in der Zukunft einmal bei schwierigen Problemen nicht wird vermieden werden können, irgendwie durch Illustrationen oder Lichtbilder diesen Vorträgen zu Hilfe zu kommen. Die moderne Seele ist nur zu sehr geneigt, irgendetwas passiv anzuschauen. Aber was die Geisteswissenschaft zutage fördert, muss innerlich ergriffen werden, muss mitgedacht, mitgefühlt, ja oftmals mitgewollt und mitempfunden werden. Indem die Geisteswissenschaft an das appelliert, was zwar in jeder Seele vorhanden ist, aber in den Seelen oft nur schlummert, ruft sie in der Seele für das geistige Leben selbst Kräfte auf, die, wenn sie für dieses betätigt werden, ein hohes Lebensgut darstellen, ein Lebensgut, welches immer mehr und mehr von den Menschenseelen gebraucht werden wird. Nur wer kurzsichtig ist, könnte leugnen, dass dieses Menschenleben immer komplizierter und komplizierter wird, dass unsere Entwickelung im Erdendasein so verläuft, dass immer mehr und mehr innere Orientierungskräfte notwendig sein werden, um nach jeder Richtung hin mit dem Leben zurechtzukommen. Außer den mancherlei anderen Gründen, die für das Eintreten der Geisteswissenschaft in die Gegenwartskultur sprechen, ist vor allen Dinge auch der geltend, dass die Menschenseelen, rein um sich äußerlich im Leben zu orientieren, diese stärkeren Kräfte werden beanspruchen müssen, je mehr wir uns in die Zukunft hineinleben. Das Leben selbst wird diese stärkeren Kräfte von den Menschenseelen verlangen.

Wir können selbstverständlich in einer kurzen Vortragsbetrachtung nicht alles vorbringen, was die Geisteswissenschaft – ich sage jetzt nicht Geistesforschung – an Lebensgütern durch das lebendige Verständnis und Begreifen dessen, was die Geistesforschung zutage fördert, dem Leben zu bieten hat;

wir können nur die einzelnen Kategorien im Ganzen charakterisieren. Da möchte ich zunächst von dem ausgehen, was unmittelbar mit dem einzelnen Menschen zusammenhängt.

Ich habe öfter in anderen Zusammenhängen hingewiesen auf das Wesen jenes rhythmischen Wechsels, der im menschlichen Leben im Verlaufe von vierundzwanzig Stunden eintritt: auf Wachen und Schlafen. Was darüber vom Standpunkte der Geisteswissenschaft aus zu sagen ist, das ist in den verschiedenen Vorträgen ja zum Teil erwähnt. Heute soll nur das gleichsam angedeutet werden, dass der Mensch in dem gewöhnlichen normalen Schlafe neben dem, was er für seine unmittelbare Seelenstimmung von diesem Schlafe hat und unmittelbar subjektiv verspüren kann, dass er außer diesem in dem Schlafe ein Gesundungsmittel ganz besonderer Art hat. Sie brauchen heute nur die äußere ärztliche Wissenschaft zu hören, so wird sie, soweit sie verständig ist, durchaus der Anschauung sein, dass wir im Schlafe, in einem richtigen gesunden Schlafe, ein Heilmittel haben. Denn der Schlaf ist dasjenige, was im ganzen Menschenwesen solche Kräfte entfaltet, die einen gewissen, täglich stattfindenden Kräfteverbrauch ausgleichen. Während das Wachleben in einer gewissen Weise, man möchte sagen, aus Erschöpfungs- und Ermüdungszuständen, aus Abarbeitungszuständen heraus den Körper schwächt, während das gewöhnliche Wachleben aus den Quellen des Erkrankens schöpft – selbstverständlich nicht immer, aber schöpfen kann, haben wir es im Schlafe vorzugsweise mit der Entfaltung der Gesundungskräfte zu tun. Man braucht nicht so weit zu gehen, dem Menschen einen so reichlichen Schlaf zu empfehlen, wie es ein ganz bekannter Arzt vor kurzem in Berlin getan hat; aber das bleibt bestehen: dass im Schlafe auf den Menschen gesunde Kräfte wirken, und dass jeder, der das Leben von diesem Gesichtspunkte aus durchschauen kann, sagen wird: Zu den besten Heilmitteln für manches Kranksein gehört die Herbeiführung von gesundem Schlaf. Ich kann natürlich in diesem Vortrage nicht vor dieser Herbeiführung eines gesunden Schlafes sprechen. Ob die Geisteswissenschaft etwas ganz Besonderes darüber zu sagen hat, das bei anderer Gelegenheit.

Nun kann das Menschenwesen durch das, was sich im Schlafe entfaltet, im Grunde genommen nur wiederherstellen, was wir verbraucht haben. Im Schlafe ist die Seele, wie die Geisteswissenschaft zeigt und wie hier öfter ausgeführt worden ist, aus dem physischen Leibe des Menschen heraus entfernt; das Geistig-Seelische ist in seiner eigenen Welt, in der geistigen Welt. Und dieses andersartige Verhältnis der Seele zum Leibe, als es im Wachsein der Fall ist, hängt zusammen mit der Aufrufung von gesundenden Kräften. Die Geistesforschung ruft nun, wie wir gesehen haben, das Geistig-Seelische des Menschen auf, frei vom Leiblichen, vom Physischen zu werden – denn anders kann man nicht Geistig-Seelisches erforschen –. Alles, was der Geistesforscher erforscht, wird außerhalb vom physischen Leibe erforscht. Wenn er das so Erforschte in Begriffe und Worte bringt, und wenn die Menschenseele sich wirklich ein Verständnis für das erwirbt, was er zu sagen hat, dann wird sich auf diese Seele, die nicht selbst geistesforschend ist, sondern nur verständnisvoll den gemachten Mitteilungen entgegenkommt, ein ganz besonderer Einfluss geltend machen. Diese Seele wird sich innerlich bemühen, jene Kräfte aufzurufen, die man nennen kann Verständniskräfte für die Ergebnisse der Geistesforschung. Das sind Kräfte, die mehr oder weniger unabhängig von dem physischen Leibe sind. Indem wir das, was die Sinne uns bieten, was der Verstand uns bietet, der sich an das Gehirn bindet, uns zum Verständnis bringen, bleiben wir auch mit diesem Verständnis abhängig von unserer Leiblichkeit, strengen den Leib an, nutzen ihn ab, lassen unsere Tätigkeit verlaufen in der ganzen Sphäre, aus welcher auch das Erkranken kommt. Versetzen wir uns dagegen mit unserm Verständnis – aber mit unserm lebendigen Verständnis – in das, was die Geisteswissenschaft darbietet, so leben und weben wir in der Sphäre der gesunden Kräfte.

Wenn dies leicht geleugnet werden kann, selbstverständlich: «leicht», und wenn gesagt werden kann: nun, man kennt ja viele Leute, die sich mit den Ergebnissen der Geisteswissenschaft befassen und durchaus nicht einen solchen Eindruck machen, als ob sie im Felde der Gesundungskräfte leben, so kann dergleichen ganz berechtigt sein. Es soll durchaus nicht als unberechtigt hingestellt werden. Aber es muss dagegen gesagt werden: Nicht dadurch, dass man in derselben Weise, wie man sich mit anderen Wissenschaften oder mit dem gewöhnlichen Leben beschäftigt, sich auch mit den Ergebnissen der Geisteswissenschaft befasst, dringt man in diese ein. Was ich im letzten Vortrage das «Homunkeltum» genannt habe, kann man ebenso gut wie in andern Wissenschaften auch in der Geisteswissenschaft entfalten. Wenn man Geisteswissenschaft ebenso begreifen will, wie man sonst die Ergebnisse der gewöhnlichen Wissenschaften verstehen will, dann hat man zu ihr nicht das rechte Verhältnis. Geisteswissenschaft kommt heraus aus der Geistesforschung, aus dem geistigen Leben des Geistesforschers, aus einem fortwährenden Tätigsein; und das Verständnis, das ihr entgegengebracht wird, appelliert nur zum geringsten Teile an das Ermüden des physischen Leibes, das heißt an das, woran die gebräuchlichen Erkenntniskräfte des gewöhnlichen Lebens appellieren. Dadurch muss aber die Wahrheit selber, sowohl für den Geistesforscher wie auch für den Bekenner und Versteher der Geisteswissenschaft, etwas werden wie ein lebendiges Wesen. Das wird es auch. Während man sonst die Wahrheit empfängt wie eine Summe von Urteilen, wie etwas, das man eben bloß denkt, empfängt man Geisteswissenschaft wie etwas, was die Seele wie ein geistiges Blut durchzieht, was sie innerlich belebt. Man empfängt die Wahrheit wie eine Summe von geistigen lebendigen Wesen; man fühlt sich wie von lebendigem Dasein durch die Geisteswissenschaft durchdrungen, wenn man ihr wirklich Verständnis entgegenbringt. Dann aber wirkt sie tatsächlich gesund, wirkt gesundend bis in den physischen Leib hinein. Und wie der Schlaf, währenddessen die Seele ja auch außerhalb des physischen Leibes ist, im wahren Sinne des Wortes ein Heilmittel gegen manches Kranksein genannt werden kann, so kann auch die Geisteswissenschaft als ein solches Heilmittel genannt werden. Sie kann ein Heilmittel genannt werden allerdings nur von denen, die Folgendes wohl verstehen wollen, das wichtig ist.

Es ist begreiflich: man wird ebenso, wie man an die äußere ärztliche Wissenschaft oder Kunst herankommt, auch an die Geisteswissenschaft herankommen, weil man dieselben Denkgewohnheiten beibehält. Oft auch, wenn man in sie eindringen will, wird man sagen: Was für ein Heilmittel hast du für diese Krankheit, welches für jene? Und oft wird von der Geisteswissenschaft die Angabe von Heilmitteln gefordert. Gewiss, die Geisteswissenschaft wird auch zutage fördern, was wirkliche konkrete Heilmittel sind; aber man muss verstehen, dass sie nicht nur dieses oder jenes Heilmittel angeben will, sondern dass sie vor allem *sich* gibt. Nur wird sie nicht immer mit Verständnis hingenommen. Was die Geisteswissenschaft sagen kann, wenn man nach einer Heilmethode fragt, ist die Antwort: Nimm mich selber, dann wirst du meine heilenden Kräfte verspüren! Aber das ist unbequem für manchen, der oft etwas ganz anderes sucht. – Natürlich wäre es eine Trivialität, wenn man einwenden würde, dass manchem, der sich mit Geisteswissenschaft beschäftigte, und der früh gestorben oder, von dieser oder jener Krankheit befallen worden ist, diese Geisteswissenschaft nichts helfen konnte. Denn man müsste erst die Gegenprobe bringen: ob jemand, der sich mit Hilfe der Geisteswissenschaft bis zum 45. Jahre erhalten hat, nicht vielleicht ohne sie nur 35 oder 40 Jahre alt geworden wäre. Die Methoden der Widerlegung sind oft nicht so leicht.

Vor allem muss darauf aufmerksam gemacht werden, dass der Schlaf nur das ausgleichen kann, was im physischen Leibe verdorben oder verbraucht ist, also im Grunde genommen Kräfte aus den geistigen Welten nur so weit schöpfen kann, als die Grenzen der geistigen Anlagen gehen, die der Mensch durch die Geburt ins Dasein bringt. Es holt die Geisteswissenschaft ihre Kräfte aus derjenigen Welt heraus, mit welcher der Mensch geistig zusammenhängt. Man kann deshalb sagen: der Schlaf ist ein Heilmittel insofern, als er verbrauchte, abgearbeitete Kräfte ausgleichen kann. Die Geisteswissenschaft führte entweder durch das, was sie selber ist, oder was sie zu geben vermag, dem Menschen Kräfte zu, die er nicht schon in sich hat, die nicht schon in seinen Anlagen sind; sie eröffnet dem Menschen einen höheren Quell der Gesundung, als ihm das gewöhnliche normale Leben auch mit dem besten Schlafe verschaffen kann. Und was so von der Seele aus gleichsam gesundend ausstrahlen kann durch das lebendige Sich-hinein-

Finden in die Geisteswissenschaft, das möchte man vergleichen mit dem, was gewöhnliche ärztliche Kunst vermag, indem man sagt: Auch die gewöhnliche ärztliche Kunst vermag im Grunde genommen nur diejenigen Heilkräfte zur Gesundung des Menschen aufzurufen, die schon im Menschen sind, die nur unterdrückt sind durch entgegengesetzte Kräfte. Die Geisteswissenschaft dagegen bringt neue Kräfte im Menschen zur Wirksamkeit, Kräfte, die sich erst entwickeln, die noch nicht veranlagt sind; sie appelliert nicht nur an den Menschen als Mikrokosmos, sondern an den Zusammenhang des Menschen als Mikrokosmos mit der großen geistigen Welt.

Um dies noch anschaulicher zu machen, möchte ich auf etwas hinweisen, was schon an der Grenze von Physischem und Geistigem steht. Obzwar es durchaus richtig ist, dass die Geisteswissenschaft dem Menschen ein Lebensgut gibt, durch das er in einer gewissen Beziehung Erkrankungen vorbeugen kann, die ihn sonst befallen würden, so tritt uns, wenn man sich nur ein wenig mit Geisteswissenschaft beschäftigt, ein noch viel bedeutenderes Lebensgut für das Leben der Seele selber sehr springend in die Augen. Ich meine das Gedächtnis. Wer hätte nicht über ein Nachlassen des Gedächtnisses zu klagen, wenn er in die Jahre kommt! Wer nur ein wenig mit Menschen in Berührung kommt, der weiß, wie sehr Gedächtnis- und andere Kräfte, wenn man in die Jahre kommt, nachlassen, und wie viel über dieses Nachlassen geklagt wird. Die Kräfte, mit denen wir für unser Gedächtnis ausgerüstet sind aus dem Fonds des Menschenlebens heraus, wie wir durch die Geburt ins Dasein treten, diese Kräfte erschöpfen sich. Und man könnte äußerlich noch so gesund leben, sie erschöpfen sich doch; und obzwar durch manche äußere Mittel manches gebessert werden könnte, was ungebessert ist, es erschöpfen sich doch die Kräfte, die uns angeboren sind.

Das wird man aber finden, wenn man innerlich tätig ergreift, was die Geisteswissenschaft dem Menschen zu geben hat, und wenn man sich ganz andere Denkgewohnheiten und Vorstellungsarten als die gewöhnlichen aneignet, so wird man bemerken, dass die Kräfte, die früher die Gedächtniskräfte waren, wenn man in die Jahre kommt zwar abnehmen, dass sie aber durch etwas ersetzt werden, was ein viel besseres Gedächtnis ist. Es tritt allmählich aus den geistigen Untergründen der Seele das auf, was man nennen kann ein Zurückschauen auf die Ereignisse. Wie wir sonst auf die Dinge im Raume hinschauen, so lernen wir allmählich hinschauen auf die Dinge in der Zeit. Die Kräfte, die das Gedächtnis sonst nicht entwickelt, weil es für gewöhnlich einen Reservefonds im unmittelbaren Leiblichen hat, die verborgen bleiben, bis wir in die Jahre kommen, diese verborgen schlummernden Gedächtniskräfte werden hervorgeholt aus der Seele: Anschauungskräfte des Vergangenen. Und bei richtigem Einleben in die Geisteswissenschaft anerziehen wir uns im Laufe des Lebens etwas, was unser gewöhnliches, anerzogenes

Gedächtnis fortsetzt, wodurch ein Mensch, der wirklich Geisteswissenschaft lebendig ergreift, viel länger ausgestattet bleibt mit der Möglichkeit, Vergangenes zu überschauen, wie auch die Möglichkeit bekommt, sich aus dem Vergangenen Richtkräfte für die Zukunft zu holen, als einer, der sich nicht auf Geisteswissenschaft einlassen will. Wer auf solche Dinge in ihren feineren Unterscheidungen eingeht, wird schon bemerken, wie das Gedächtnis zu etwas anderem wird, aber nicht etwas Treuloseres wird, sondern etwas, was getreuer wirkt als das Gedächtnis, das uns durch die leiblichen Kräfte angeboren ist.

Das ist es, was uns zeigt, nicht von Tag zu Tag, aber für eine sorgfältige Beobachtung des Lebens, wie erfrischend und kräftigend die Lebensgüter sind, die von der Geisteswissenschaft der menschlichen Seele gegeben werden können, und noch anderes. Selbstverständlich wird die Geisteswissenschaft nicht dasjenige, was physisch im Körper da oder dort zerstört ist, geistig heilen können. Geisteswissenschaft wird niemals in einen Fanatismus verfallen, der als eine fanatische Gegnerschaft gegen die äußere wissenschaftliche Medizin gerichtet sein könnte, wie es in ähnlichen Richtungen auf diesem Gebiete manchmal zutage tritt; sie wird darauf aufmerksam machen, dass das, was physisch zu heilen ist, auch physisch geheilt werden muss. Aber das, wohinein die Kräfte eines verstärkten geistigen Lebens, wie es durch die Geisteswissenschaft erzeugt werden kann, sich ergießen können, das gibt ein grenzenloses Lebensgut.

Wie ist doch bei dem materialistischen Sinn der Menschen gerade das, was ihnen gut ist in gesundheitlicher oder in lebensförderlicher Beziehung, allmählich zu einem bloßen trockenen Wissen geworden! Nicht um etwas zu beweisen, sondern nur um etwas zu erläutern, möchte ich darauf hinweisen, wie wir die Heilinstinkte – die Empfindung für das, was dem Organismus gut tut – bei den Tieren beobachten können. Beim Menschen aber können wir, hervorgerufen durch die Tätigkeitskräfte, die an Gehirn und Nervensystem gebunden sind, die Tendenz finden, sich von dem gesunden Leben immer mehr zu entfernen, und dadurch würde er in Bezug auf das, was ihm gut tut, zuletzt alles in äußeres, trockenes Wissen verwandeln wollen. Man sieht heute schon Menschen, die nicht mehr ganz ihren Instinkt entwickeln können, der ihnen beim Essen sagt: jetzt hast du genug, sondern die neben ihrem Teller eine Waage stehen haben und nun wiegen, wie viel das Stück Fleisch wiegt, das sie essen dürfen. Das ist nur etwas radikal ausgedrückt; aber wer die Dinge verfolgt, wird sehen, wie sich die Lebensempfindungen allmählich immer mehr in ein abgesondertes abstraktes Wissen verwandeln. Das drückt sich auch darin aus, dass die Menschen in Bezug auf ihr Gesundsein und Kranksein gar nicht mehr aus sich selbst, aus ihrem Gefühl heraus handeln können, sondern die Sorge dafür einem andern übergeben möchten.

In dieser Beziehung wird die Geisteswissenschaft den Menschen ein außerordentlich bedeutsames

Lebensgut sein können, indem sie nach Durchdringung einer Welt strebt, von welcher der Mensch zwar nur abzustammen scheint, in der er aber noch drinnensteht. Denn in Wahrheit ist der Mensch seinem seelischen und physischen Wesen nach aus dem Geiste entsprungen. Und während man sich mit dem Teile seines Wesens, das an das Gehirn und Nervensystem gebunden ist, von den Lebensinstinkten entfernt, nähert man sich durch ein verständnisvolles Einleben in die Geisteswissenschaft wieder dem lebendigen, tätigen Leben, so dass der, welcher das lebendige Verständnis für die Geisteswissenschaft in sich entwickelt, zwar nicht den tierischen Trieben überlassen wird; er wird sie vom Geiste aus so durchdringen, dass er sich allerdings nicht von einem abgesonderten, abstrakten Wissen vorschreiben lässt: das sollst du essen, so viel sollst du trinken, so viel spazieren gehn, turnen und so weiter; sondern dazu wird es kommen, dass er die Triebe unmittelbar vergeistigt, dass er das geistige Gut, welches er durch die Geisteswissenschaft empfängt, einfließen lässt in seine Triebe und dadurch weiß: dies sollst du so und so machen im Leben! Man könnte geradezu sagen: Der Mensch hat sich durch die Erkenntnis, die an das Gehirn und Nervensystem gebunden ist, vom Leben entfernt; durch die Geisteswissenschaft aber durchdringt er wieder das Leben mit einem neuen Inhalt, und dadurch wird er wieder unmittelbar wissen: das ist gut für dich, das ist vorteilhaft für dich, jenes ist nicht gut für dich! Er wird mit Sicherheit durch das

Leben gehen; er wird fest und orientiert im Leben drinnenstehn, weil er eine Brücke schaffen wird zwischen den tiefsten Gründen des Lebens und seinem Dasein um sich herum. Und das wird sich erstrecken nicht nur auf Gesundsein und Kranksein, sondern auf alles Leben.

Bedenken wir: notwendig haben wir, wenn wir gesund sein wollen, an geistige Kräfte zu appellieren, die tätige sind, die in lebendiger Richtung aufsteigen. Wenn wir sonst im Leben urteilen, so geschieht es in der Weise, dass wir unser Urteil abhängig machen von dem, was wir gesehen haben; wir bleiben mit unserer eigenen Seele dabei ganz passiv. Und gerade da ist die gewöhnliche Wissenschaft, wenn sie Urteile fällen soll, stolz darauf, die Richtkräfte, die Schlag- und Schwungkräfte des Urteilens nicht aus der eigenen Seele heraus zu nehmen. Dieses Zum-Leben-Bringen der Wahrheitskräfte, der Beurteilungskräfte der Seele ist das eine, was die Geisteswissenschaft dem Menschen als Lebensgut bringen kann. Immer mehr muss sich die Seele, die in die Geisteswissenschaft eindringen will, daran gewöhnen, sich nicht Urteile geben zu lassen, sondern tätig zu urteilen, sich einen inneren Quell des Urteilens zu eröffnen. Dadurch erlangt sie, was man nennen möchte Geschicklichkeit des Urteilens, innerliche Freiheit, die Urteilskräfte zu handhaben, Geistesgegenwart, die unmittelbar aus der Seele entspringt, wenn sie nötig hat, sich in der Welt zu orientieren oder sich mit der Welt auseinander zu setzen. Voraussehen könnte man ein Lebensgut der Geisteswissenschaft, das in der folgenden Weise charakterisiert werden kann.

Nehmen wir an, dass wir zu erziehen haben, und die Entwickelung des jungen Menschen wird in das Licht der Geisteswissenschaft gebracht, wird von der Geisteswissenschaft beleuchtet werden. Dadurch wird der Mensch in einer anderen Weise heranwachsen, wird so heranwachsen, dass er immer mehr geneigt ist, wo er steht und geht im Leben, an den inneren Quell, an die Schwung- und Schlagkraft des inneren Urteils zu appellieren, Geistesgegenwart zu entwickeln, die Wahrheit innerlich zu erleben. So wird er durch das Leben schreiten. Und so werden Menschen, deren Erziehung geleitet worden ist im Sinne der Geisteswissenschaft, sich ganz anders ins Leben hineinstellen, als die, deren Erziehung wahrhaftig nicht im Lichte der Geisteswissenschaft gestanden hat, sich ins Leben hineinfinden müssen. Sie werden in sich instinktiv fühlen, weil das Denken nicht ein abstraktes sein wird, sondern in die Gefühle hineingehen wird: Dieses oder jenes ist für mich gut zu beginnen! Wie steht heute mancher innerhalb unserer materialistischen Kultur mit seinem Leben, mit seinem Denken und Urteilen da und weiß nicht: Wozu tauge ich? Was soll ich tun? Das wird immer weniger und weniger vorkommen, wenn die mit Geisteswissenschaft bekannten Seelen in Lagen kommen, wo sie sich entscheiden müssen. Sie werden so fühlen, dass ihre vergeistigten Instinkte ihnen Freude machen. Diese Freude wird sie nicht täuschen; sie wird die richtige sein, und sie werden sich ins Leben richtig hineinfinden.

Wer die Geisteswissenschaft heute vertritt, steht zu ihr, wenn sie wirklich wie aus seiner eigenen Gesinnung heraus erfließen soll, in einer andern Weise, als man zu einer andern Geistesströmung steht. Aber nicht dadurch hat man die rechte Gesinnung zu ihr, dass man von den Ergebnissen dieser Geisteswissenschaft subjektiv begeistert ist, und dass man den Drang hat, diese Ergebnisse vor seine Mitmenschen hinzutragen. Da würde vielleicht heute noch, wo es nicht zu den Annehmlichkeiten des Lebens gehört, Geisteswissenschaft zu vertreten, mancher mit diesem oder jenem zurückhalten, wenn man nur so zu den Zielen der Geisteswissenschaft käme, wie man zu den Zielen der anderen Wissenschaften kommt. Aber man kommt zu dem, was einem den Mund öffnet über die Erkenntnisse der Geisteswissenschaft, wenn man erkennt, wie eine Kultur, die immer mehr und mehr, auch wo man nicht materialistisch sein will, materialistische Färbung angenommen hat, in die Seelen und Gemüter eindringt und diese immer passiver und passiver macht, und wenn man weiter mit Bezug auf das, wo der Mensch immer mehr und mehr sich im Leben orientieren und sich ins Leben hineinstellen lernt, erkennt, wie die Geisteswissenschaft eine Notwendigkeit des fortgehenden Lebens ist. Und wenn man erkennt, wie jene Kräfte ersterben müssen, die den Menschen auf natürliche Weise sicher ins Leben hineinstellen, dann wird einem das, was geisteswissenschaftliche Erkenntnis ist, auf die Lippen gedrängt, wird einem abgefordert; und dann möchte man mehr haben, als die ja in mancher Beziehung widerspenstige menschliche Sprache bietet, um der Menschheit zu zeigen, wie notwendig im weiteren Menschheitsfortschritt das Lebensgut ist, das in unserer Zeit allein die Geisteswissenschaft geben kann.

Und wenn innerhalb unserer modernen Kultur weniger bemerkt wird, was es eigentlich heißt: ganz unterworfen sein einer Dogmatik der Tatsachen, ganz abhängig sein von dem durch diesen Tatsachenfanatismus herbeigeführten Spezialistentum in der Wissenschaft, dann begreift man vielleicht, was es heißt, dass die Geisteswissenschaft den Menschen dazu führt, innere Elastizität, innere Beweglichkeit, innere Biegsamkeit, Lebendigkeit der Urteilsfähigkeit zu bekommen und dadurch erst das zu werden, was man einen innerlich freien Menschen nennen kann, der sich so ins Leben hineinstellen kann, dass er den Grundquell des Lebens selber erfasst, indem das Wesen seiner Seele mit den Urkräften des Daseins einen Zusammenhang hat. Immer mehr wird es für die Menschheit notwendig sein, innere Elastizität, gleichsam inneres Turnen – wenn ich den Ausdruck gebrauchen darf: inneres «Tanzen» der Urteilskräfte in feiner innerer Tätigkeit zu entwickeln. Das wird als ein Lebensgut die Geisteswissenschaft der Menschheit zu bringen haben. Ein Denken, welches die Kraft der Wahrheit in sich selber trägt, das der Mensch brauchen wird der komplizierter werdenden Zukunft gegenüber, das ist ein Lebensgut, das die Geisteswissenschaft der Menschheit geben kann. Und zwar aus dem Grunde wird man sich gewöhnen müssen, Verständnis für das zu entwickeln, was nur innerlich erfasst werden kann, weil man sich damit durch die Geisteswissenschaft verbündet mit der innerlich lebendigen Wahrheit, die sich zum Urteilen nicht von außen drängen lässt, sondern die belebt ist von der lebendigen Kraft der Wahrheit; wie der Organismus innerlich von der lebendigen Kraft des Blutes belebt ist. Und wie der Organismus von der lebendigen Kraft des Blutes belebt wird und durch dieselbe im rechten Verhältnis atmend zur Außenwelt steht, so wird die Geisteswissenschaft dem Menschen die Fähigkeit geben, von der innerlich lebendigen Wahrheit wie von einem geistig-seelischen Herzen durchlebt zu sein, das in der Welt der Umgebung da atmet, wo Geistiges eingeatmet werden muss, um die Seele so gesund, so leistungsfähig und stark zu machen, dass sie der inneren Atemluft das entgegenstellen kann, was sie zu einer freien inneren organischen Kraft macht, zu der Kraft, die im Blute pulsiert.

Man möchte sagen: in der Gegenwart ist man nicht imstande, an dies geistige Atmen zu glauben. In der Zukunft wird man an das innere Herz für das geistige Atmen zu glauben vermögen und dadurch menschliche Freiheit für die Seele entwickeln. Wie das, was der Mensch als Lebewesen ist, nur dadurch entwickelt werden kann, dass er nicht nur die Atemluft in sich lebendig einzusaugen vermag, sondern sie lebendig umwandelt und in feiner Weise einen abgesonderten lebendigen Organismus entwickelt, leiblich, so wird er geistig immer mehr und mehr inneres seelisches Blut entwickeln, das ihn belebt, und das, indem er sich betätigt und das äußere Wissen und die äußere Erkenntnis umwandelt, den Menschen erst zum wahren freien Wesen macht.

Und wenn wir von der Erkenntnisseite auf die Willensseite sehen, dann müssen wir bedenken, dass die Geisteswissenschaft an den Menschen heranbringt Vorstellungen, Begriffe, Ideen, Ergebnisse der Geistesforschung, die gewissermaßen frei in der Seele leben, so frei in ihr leben, dass sie unabhängig sind von dem Seelischen, von dem äußerlich Leiblichen, auch von Trieben und äußeren Eindrücken. Wie handelt denn der Mensch unter gewöhnlichen Umständen? Er handelt auf äußere Eindrücke oder auf äußere Triebveranlassung hin. Mit dem, was mit dem äußeren Organismus zusammenhängt, hat die Geisteswissenschaft nichts zu tun. Sie erfüllt den Menschen mit dem, was im Organismus nur wohnt, was aus der geistigen Welt, und nicht unmittelbar aus dem Organismus stammt. Es fällt für den Menschen immer mehr und mehr die Möglichkeit weg, auf äußere Antriebe und äußere Sensationen hin zu handeln; aber was ihm aus der Geisteswissenschaft zukommt, das liefert ihm innere Kräfte, so dass er von innen heraus zum Handeln kommt. Das gibt einen bedeutsamen Einschlag für das Menschenleben.

Welche Kraft allein ist es denn, die zum Handeln kommen kann, wenn nicht das, was uns von der äußeren Welt abgefordert wird, die Impulse zum Handeln liefert? Welche Impulse können dann wirken?

Man wird durch eine leichte Erwägung sehen, dass es ein umfassender Impuls sein muss, der dadurch in die Seele dringt, dass diese von einer umfassend wirkenden Kraft erfüllt wird: das ist der Impuls der Liebe, der aus der Seele unmittelbar herausströmt, aber nur dann unmittelbar aus ihr herausströmt, wenn sie von innerlichen Impulsen getrieben wird. Es wird die Geisteswissenschaft, Verständnis für die Geisteswissenschaft, dem Menschen ein Lebensgut liefern, das von unbegrenztem Wert ist: ein immer freieres und freieres Hinneigen zu seinem Handeln, was allein die Kraft des Handelns beleben kann, wenn die Impulse geistige sind, und damit zur Kraft der Liebe.

Ich habe es in diesen Vorträgen öfters ausgesprochen: *Geisteswissenschaft ist für das Leben die große Schule der Liebe*. Nicht dass die Geisteswissenschaft bei jeder Gelegenheit von Liebe reden will. Dieses Reden von Liebe und wieder Liebe erinnert einen erst an das Wort Schopenhauers: «Moral predigen ist leicht, Moral begründen schwer», aber noch an etwas anderes. Wenn man immer nur so reden hört von Liebe! Liebe! Liebe! – wenn man hört, dass sich Vereine begründen, welche die Liebe predigen wollen – die Geisteswissenschaft darf vielleicht doch manchmal die Dinge radikal bezeichnen; es wird aber schon herausgefunden werden können, was jeweilig gemeint ist –, dann kommt es einem so vor wie bei den braven Schildbürgern, die das Licht in Säcke fassen und in die Häuser entleeren wollten. Aber so leert sich die Liebe nicht in die Seele. Es ist mit der Menschenseele ähnlich wie mit einem Ofen, dem man nicht zureden braucht, das Zimmer warm zu machen, da dies seine Ofenaufgabe wäre; er tut es von selbst, wenn wir Holz in ihn hineinbringen und es anzünden. Vielleicht könnte jemand dazu sagen: dem Holz sieht man es ja gar nicht an, dass es Wärme gibt. Und doch gibt es Wärme! Indem wir das ganz anders aussehende Holz in den Ofen hineinbringen und es anzünden, bringen wir Wärme in unser Haus. Indem wir uns an die geisteswissenschaftlichen Begriffe gewöhnen, gewöhnen wir uns an eine freie Urteilsfähigkeit, an eine freie Orientierungsfähigkeit in der Welt. Indem wir uns dadurch das Gedächtnis befruchten, bringen wir in unsere Seele herein die Impulse der menschlichen Liebefähigkeit und gewöhnen uns an sie. Und so sicher es ist, dass Wärme in einem Hause entsteht, wenn das Holz richtig verwendet wird, so sicher ist es, dass Liebe, werktätige Menschenliebe, die wirklich helfen kann, entzündet wird durch jene Impulse, die mit der Geisteswissenschaft in die Seelen einziehen. Geisteswissenschaftliche Begriffe sind das Heizmaterial der Seele für die Liebe.

Gewiss kann man auch da wieder viel einwenden. Vor allem könnte eingewendet werden, dass manche, nach ihrer Ansicht, an denjenigen, die sich mit Geisteswissenschaft beschäftigen, nicht genug Liebe finden. Aber da muss sich schon der Mensch dazu aufschwingen, dass etwas, was da oder dort das Aussehen der Lieblosigkeit an sich tragen könnte, vielleicht doch recht liebevoll sein kann. Wenn zum Beispiel jemand aus einem verkehrten Instinkt oder aus reinem Egoismus heraus dieses oder jenes weniger Erfreuliche anrichtet, und er wird aus einem gesunden Instinkt heraus angeschnauzt, so kann dies eine bessere Betätigung der Liebe sein als manches Wort, das in solchem Augenblicke wohl «liebevoll» sein könnte, aber zu gar nichts helfen würde als zu einem Verschlimmern des Zustandes, aus dem heraus der Betreffende diesen oder jenen Irrtum begangen hat. – Das aber wird die rechte, wahre Erfahrung liefern: dass niemand, der sich mit der Geisteswissenschaft durchdringt, ohne ihren Einfluss bleibt in Bezug auf die Liebe-Entfaltung.

Geisteswissenschaft wird als ein merkwürdiges Lebensgut wirken gerade auf sinnlichem Gebiete, auf dem Gebiete von Menschenhilfe und Menschenwirksamkeit. Sie wird nicht wirken wie äußere Mittel, die abschrecken sollen vor diesem oder jenem. Sie wird anders wirken, wird still in der Seele wirken, aber in der Seele jedes Einzelnen, so dass er die rechten Wege der Liebe-Betätigung findet. Geisteswissenschaft wird wirken wie das Gewissen, so, wie die innere Stimme des Gewissens nicht äußerlich vielleicht straft, die aber um so sicherer der Seele ein Führer ist. Wer sich in die geisteswissenschaftlichen Begriffe einlebt, wird es erfahren, dass da, wo er im wahren Sinne des Wortes Unrecht tut, die Geisteswissenschaft eine Kraft in ihn gesetzt hat, die wie eine Verstärkung des Gewissens wirkt, wie korrigierend, dem Leben Richtung weisend. Und so wird die Geisteswissenschaft nicht durch Programme, nicht durch äußere Vereine, nicht durch Wirksamkeiten wie sie sonst üblich sind, wenn man dieses oder jenes verbreiten will, zum Besten auf sinnlichem Gebiete wirken; sondern sie wird wirken, sagen wir, indem sie sich der Kultur einverleibt, wie das durch die Menschheit schreitende moralische Gewissen. In der Erhöhung der moralischen Gewissenhaftigkeit, die sich jeder Seele einfügen wird, welche sich mit Geisteswissenschaft durchdringt, wird der ganzen modernen Kultur ein Lebensgut gegeben werden, wenn die Geisteswissenschaft Verständnis findet.

Wenn man sie so betrachtet, wird man sich einen Begriff von dem verschaffen können, was sie sein kann für die gesunde, physisch und moralisch gesunde Belebung der Menschenseele, für das Freiwerden und freie Gestalten dieser Menschenseele. Man wird nicht mehr leugnen, dass sie in physischer und moralischer Beziehung ein unbegrenztes Lebensgut sein kann, ein Lebensgut, das man gar sehr brauchen wird, wie ich schon öfters erwähnt habe, in das man sich in der Zukunft immer mehr und mehr hineinzuleben genötigt sehen wird, ein Lebensgut, welches vor allen Dingen dadurch leuchtend und belebend für den Menschen wird sein können, weil es darauf ausgeht, innerlich durchschaut zu werden, weil es gleichsam nicht von außen an den Menschen herantritt, sondern sich innerlich mit seiner Seele verbindet, ihm nicht ein äußeres Wissen überliefert, sondern die Seele zu etwas macht, was dieser Seele wahrhaftig würdig ist. Wenn man dies einsehen wird – und man wird es nach und nach schon einsehen –, dann wird die Geisteswissenschaft weniger feindlich angesehen werden von denen, die sie heute noch sehr, sehr feindlich ansehen. Heute ist es noch durchaus begreiflich, wenn Leute mit ihrem materialistisch gefärbten Wissen kommen und sagen: Erkenntnis, die den Menschen belebt und trägt, gewinnt man ja auch, wenn man den Blick auf die Außenwelt richtet; da gewinnt man richtige Erkenntnis. Das ist gewiss richtig. Aber schauen wir einmal hin, jetzt nicht bloß theoretisch, sondern lebensvoll, und sehen wir: die Geisteswissenschaft gibt eben überall das lebensvolle Wissen; und halten wir dagegen, was eine materialistisch gefärbte Weltanschauung dem Menschen geben kann.

Jene Menschen, die selbst noch ein solches materialistisch-atomistisches Weltgebäude aufbauen, die sozusagen an seinem Ursprunge stehen, betätigen dabei noch ihre Seele. Haeckel selber, Ostwald, seine nächsten Schüler und andere, die sind noch aktiv dabei; die können noch innere Kräfte ausbauen, und man könnte noch das, was sie mit ihrer Wissenschaft sich selbst innerlich erarbeiten, mit dem vergleichen, was durch die Geisteswissenschaft gewonnen wird, indem diese an die inneren Seelenkräfte des Menschen appelliert. Bei denen aber, die bei dem Zustandekommen solcher materialistischer Weltansichten nicht mehr in erster Reihe stehen, oder wo eine solche Weltauffassung passiv übernommen wird, da entspricht das, was als materialistische Weltanschauung auf die Seele wirkt, einem Nahrungsmittel, das nicht verdaut wird, das die Kräfte nicht entwickeln kann, die entwickelt werden müssen, wonach die Seele wirklich hungert. Man kann ja auch den Hunger sich vertreiben, ohne dass man wirklich isst. Es geht. Aber was der Hunger andeutet, das kann nicht vertrieben werden für den äußeren Organismus ohne Essen. So kann man auch den Hunger der Seele nach geistigem Lebensgut ersticken, indem man durch materialistische Weltanschauung den Appetit für das geistige Leben verdirbt. Aber auf die Dauer geht das für die Menschenseele nicht.

Es soll hier nicht über Wahrheit und Irrtum im Spiritismus gesprochen werden. Er enthält gewiss manches Körnchen Wahrheit, nicht nur Irrtum oder Schwindel und dergleichen. Darauf möchte ich nur hinweisen, dass die, welche auf dem Boden einer materialistischen Weltanschauung stehen, diesen Spiritismus scheinbar nicht billigen. Wenn man so über ihn denkt mit einem Denken, das sich nicht innerlich belebt, dann wird man nur sagen können, dass die materialistische Weltanschauung gleich ferne steht dem Spiritismus wie der Geisteswissenschaft.

Wenn man aber wirklich hineinschaut in das Werden der Welt, dann weiß man etwas ganz anderes. Dann weiß man, dass der Hunger der Seele nach geistigem Lebensgut nicht erstickt werden kann, und dass die Materialisten es sind, welche den Spiritismus hervorbringen! Man bekämpft von materialistischer Seite die Geisteswissenschaft. Aber man wird sehen, dass überall da, wo es gelingt die Geisteswissenschaft nicht hochkommen zu lassen, die spiritistischen Vereine und Zirkel sich bilden! Die Väter des Spiritismus sind die Philosophen und materialistischen Weltanschauungsleute. Mit einem Denken, das nur abstrakt denkt, durchschaut man diesen Zusammenhang nicht. Da macht man denselben Denkfehler wie der, welcher sagt: Ich habe vor, einen recht guten Sohn aus dem Kinde zu bilden, das jetzt geboren worden ist; ich mache mir alles dazu zurecht. Aber der Sohn wird durchaus nicht immer so, wie der Vater es sich gedacht hat; er kann unter Umständen ein recht schlimmer Balg werden. Was sich die Materialisten für Vorstellungen machen über die Weltenzusammenhänge, das hat mit dem lebendigen Leben nichts zu tun. Und so kann es kommen, dass sie den «Sohn» erzeugen, den Balg, den sie selber als solchen Sohn nicht kennen. Denn der Spiritismus ist der Sohn des Materialismus. Warum ist das so? Weil der Appetit der Seele nach geistigem Leben den Hunger nicht stillen kann, und es schließlich dahin kommt, wie es der Physiker oder Chemiker macht, wo die äußeren Ereignisse des Lebens vorgeführt werden, wo ohne inneres Mittun der «Geist» vorgeführt werden soll. Das ist bequemer, als in jedem Momente, wo man zum Geist aufsteigen soll, sich innerlich anstrengen zu müssen. Aber das ist auch nichts anderes als ein Suchen nach demselben Weltbild, das der Materialismus hervorbringt. – Ich will das nur als ein Beispiel dafür anführen, wie sich ein abstraktes Denken hereinstellt in das Leben. Ein solches Denken wird selbstverständlich glauben, dass der Materialismus nicht den Spiritismus erzeugen kann. Wie sollte er auch! Ein Denken dagegen, das innere Schlag- und Tragkraft hat in der Sphäre der Wahrheit, wird in ganz anderem Sinne die Welt durchschauen, und durch solches Denken wird sich der Mensch ganz anders in die Welt hineinstellen können als durch ein abstraktes, totes Denken, das auch nur ein «Homunkulismus» ist, wie es das letzte Mal ausgeführt wurde.

So sehen wir, dass Geisteswissenschaft wirklich als eine Summe von Lebensgütern bezeichnet werden kann. Zwar wird der, welcher das Leben erschöpft glaubt in den bloß äußeren Gütern, das Gesagte nicht für so unendlich wertvoll halten. Aber wer da weiß, wie selbst die äußeren Güter abhängig sind von dem inneren Orientierungsvermögen der Seele in der Welt und von den Gesundungskräften der Seele in sich selber, der wird auch mit Bezug auf alle sozialen Verhältnisse und was heute als Anlass zu so vielen «Kuren» dient, die aber doch nichts sind als äußerliche Kuren und die zu nichts anderem als äußerlichen

Maßnahmen führen können, den Gedanken nicht gewagt finden, dass solche Verhältnisse erst richtig gesehen werden können und wie dafür erst die richtigen Heilmittel gefunden werden können, wenn sich die Menschen zur Geisteswissenschaft aufschwingen werden. Und man muss wirklich sagen: in alledem ist etwas enthalten, was einem die Worte auf die Lippen drängt, wenn man über Geisteswissenschaft spricht.[7]

NACHWORT

des Herausgebers

Die hier wiedergegebenen, vor bald einhundert Jahren gehaltenen Vorträge Steiners machen im Hinblick auf die im Vorwort erwähnte Frage «Wie entsteht Gesundheit?» vor allem eines deutlich: Im Zusammenspiel zwischen dem Menschen und seiner Umwelt, zwischen Innen- und Außenwelt kommt es entscheidend darauf an, mit welcher Einstellung oder Weltanschauung der Mensch der Welt begegnet.

Schon im ersten Vortrag über das Vergessen macht Steiner darauf aufmerksam, dass derjenige, der in seiner Jugend ein reiches, lebendiges Seelenleben entwickelt hat, später eine stabilere Gesundheit aufweisen wird als jemand, der nur stumpf an allen Eindrücken vorbeigegangen ist.

In den beiden anderen Vorträgen betont Steiner immer wieder die Notwendigkeit einer die Welt als Ganzes erfassenden inneren Seelenverfassung als Voraussetzung für Gesundheit; eine gesunde Seele bewirke auch einen gesunden Leib.

Nun hat die im Vorwort bereits erwähnte salutogenetische Forschung diesen Zusammenhang genauer untersucht und dabei wissenschaftlich nachgewiesen, dass Menschen mit einer inneren, sinnhaft erfüllten Lebensauffassung, d.h. Menschen mit einem lebendigen, fantasiereichen Seelenleben, das auf äußere Eindrücke kreativ mit eigenen inneren Bildern antworten kann, eben gesünder sind als andere, die diese Voraussetzungen nicht mitbringen.[8]

So erscheint es unter den heute gegebenen Umweltbedingungen, die durch laute, grellbunte und rasant beschleunigte Bild- und Tonmedien beherrscht sind, durchaus sinnvoll, sich diesen Einflüssen von Zeit zu Zeit zu entziehen, und vor allem in der Erziehung für einen angemessenen inneren seelischen Ausgleich zu sorgen. Gerade in der Auseinandersetzung mit den Bild- und Tonmedien wird deutlich: in einer innerlich immer mehr verkümmernden Kultur wird das, was früher einmal an reichem seelischem Innenleben vorhanden war, immer mehr durch äußere, sich ständig steigernde Reize ersetzt. Dieser Surrogatcharakter der Medien kann sich bis zur Sucht steigern, denn je weniger selbstständig und autonom sich das Seelenleben entwickelt und sich stattdessen von außen steuern lässt, desto mehr verlangt es nach immer neuen äußeren Reizen. An die Stelle innerer Bildfähigkeit, Fantasie und Kreativität tritt der äußere «Thrill», der dann auch gewalthaltige Züge annehmen kann, wie besonders die «Egoshooter»-Videogames zeigen.[9] Dem Einhalt zu gebieten ist spätestens dann geboten, wenn die Gesundheit nicht mehr mitspielt. Auch das Phänomen der sogenannten «ADS-Kinder» weist in diese Richtung.[10]

Steiners Anliegen war es (wie sich zeigt in weiser Vorausschau auf die heutigen Lebensbedingungen), die Menschen zur Entfaltung eines reichen Innenlebens anzuregen, sich nicht als Marionette äußerer Sinnesreize zu empfinden, sondern als freies, selbsttätiges Individuum. Bereits in seiner philosophischen Grundschrift, der *Philosophie der Freiheit*, weist er auf diese Entwicklungsnotwendigkeit hin: «Die Welt ist fix und fertig in allen ihren Substanzen und Kräften; und von dieser fertigen Welt entwirft der Mensch ein Bild. Die so denken muss man fragen: mit welchem Recht erklärt ihr die Welt für fertig, ohne das Denken? Bringt nicht mit der gleichen Notwendigkeit die Welt das Denken im Kopfe des Menschen hervor, wie die Blüte an der Pflanze? … Warum gehört dieser Begriff (in der Seele) weniger zur ganzen Pflanze als Blatt und Blüte?»[11]

Damit macht Steiner darauf aufmerksam, dass das, was sich in unserer Seele abspielt, wenn wir Sinneswahrnehmungen aufnehmen, nur zum Schein nicht zur Welt als Ganzes dazugehört. Der in der Seele gebildete Begriff der Pflanze gehört eben zur äußerlich wahrgenommenen Pflanze dazu wie deren Blätter und Blüten. Aber der Schein will uns glauben machen, dass das innerlich in der Seele Gebildete keine Bedeutung für die Welt habe. Lassen wir uns von diesem Schein betrügen, dann stumpfen wir unser Innenleben ab, es wird zum bloß subjektiven Anhängsel einer übermächtigen, scheinbar unveränderbaren Außenwelt, die auch ohne uns existieren kann.

Dass erst durch das Ernstnehmen des innerlich tätig hervorgebrachten Denkens (der in den Anmerkungen bereits erwähnte Autor Eckhard Schiffer spricht hierbei von «Denksymbolen») sich der Mensch als freies Individuum erleben kann, ist die Konsequenz aus Steiners Freiheitsphilosophie. Er führt diese denn auch fort, indem er die innerliche Entwicklung, die mit dem Erkraften des Denkens einsetzt, im Hinblick auf übersinnliche Erfahrungsbereiche (das Denken selbst ist ein erster solcher Bereich) weiterentwickelt. In seinem diesbezüglichen Schulungsbuch *Wie erlangt man Erkenntnisse der höheren Welten?* führt er dazu Folgendes aus: «Ein Mensch, der von einem Eindruck der Außenwelt zu dem andern jagt, der stets nach ‹Zerstreuung› sucht, findet nicht den Weg zur Geheimwissenschaft (‹geheim› im Sinne von ‹den Sinnen verborgen› Anm. d. Hrsg.). Nicht abstumpfen soll sich der Geheimschüler für die Außenwelt; aber sein *reiches Innenleben* soll ihm die Richtung geben, in der er sich ihren Eindrücken hingibt. Wenn ein gefühlsreicher und gemütstiefer Mensch durch eine schöne Gebirgslandschaft geht, erlebt er anderes als ein gefühlsarmer. Erst was wir im Innern erleben, gibt uns den Schlüssel zu den Schönheiten der Außenwelt. Der eine fährt über das Meer, und nur wenige innere Erlebnisse ziehen durch seine Seele; der andere empfindet dabei die ewige Sprache des Weltgeistes; ihm enthüllen sich geheime Rätsel der Schöpfung. Man muss gelernt haben, mit seinen eigenen Gefühlen, Vorstellungen umzugehen, wenn man ein inhaltvolles Verhältnis zur Außenwelt entwickeln will. Die Außenwelt ist in allen ihren Erscheinungen erfüllt von göttlicher Herrlichkeit; aber man muss das Göttliche erst in seiner Seele selbst erlebt haben, wenn man es in der Umgebung finden will. – Der Geheimschüler wird darauf verwiesen, sich Augenblicke in seinem Leben zu schaffen, in denen er still und einsam sich in sich selbst versenkt. Nicht den Angelegenheiten seines eigenen Ich aber soll er sich in solchen Augenblicken hingeben. Das würde das Gegenteil von dem bewirken, was beabsichtigt ist. Er soll vielmehr in solchen Augenblicken in aller Stille nachklingen lassen, was er erlebt hat, was ihm die äußere Welt gesagt hat. Jede Blume, jedes Tier, jede Handlung wird ihm in solchen stillen Augenblicken ungeahnte Geheimnisse enthüllen. Und er wird vorbereitet dadurch, neue Eindrücke der Außenwelt mit ganz anderen Augen zu sehen als vorher. Wer nur Eindruck nach Eindruck *genießen* will, stumpft sein Erkenntnisvermögen ab. Wer, nach dem Genusse, sich von dem Genusse etwas *offenbaren* lässt, der pflegt und erzieht sein Erkenntnisvermögen. Er muss sich nur daran gewöhnen, nicht etwa nur den Genuss nachklingen zu lassen, sondern, mit *Verzicht* auf weiteren Genuss, das Genossene durch innere Tätigkeit zu verarbeiten.»[12] Weiter betont Steiner dann: «Schaffe dir Augenblicke innerer Ruhe und lerne in diesen Augenblicken *das Wesentliche von dem Unwesentlichen unterscheiden*.»[13]

Diese «innere Ruhe»[14] führt letztlich zu jener Gelassenheit, von der auch der bereits im Vorwort zitierte Viktor E. Frankl immer wieder schreibt im Hinblick auf die auch für die Gesundheit entscheidende Sinndimension unseres Daseins. Denn kann ich mich selbst aus einer gewissen Distanz heraus wahrnehmen (was ich nämlich tun muss, um Wesentliches von Unwesentlichem zu unterscheiden), so ordne ich mich damit gleichzeitg auch in einen größeren Sinnzusammenhang ein: «Denn er lernt einsehen, dass die geringste Handlung, die er zu vollbringen hat, das geringste Erlebnis, das sich ihm darbietet, im Zusammenhang stehen mit den großen Weltwesenheiten und Weltereignissen. Wird ihm dieser Zusammenhang durch seine beschaulichen Augenblicke erst klar, dann geht er mit neuer vollerer Kraft in seinen täglichen Wirkungskreis. Denn jetzt weiß er: was er arbeitet, was er leidet, das arbeitet, leidet er um eines großen, geistigen Weltzusammenhanges willen.»[15]

Schließlich macht Steiner darauf aufmerksam, dass auch die sinnliche Wahrnehmung selbst durch ein entsprechend entwickeltes seelisches Erleben verstärkt werden kann. Er weist in diesem Zusammenhang immer wieder auf das Vorbild Goethes und dessen Verhältnis zur Natur hin: «Das sind ja alles grobe Vorstellungen, als wenn die Außenwelt auf uns bloß wirkte und wir dann bloß reagieren darauf. All das Zeug, was da geredet wird, das sind ja bloß grobklotzige Vorstellungen. Die Wirklichkeit ist vielmehr diese, dass ein seelischer Prozess vor sich geht von außen nach innen, der erfasst wird durch den tief unterbewussten, inneren seelischen Prozess, sodass die Prozesse sich übergreifen. Von außen wirken die Weltgedanken in uns herein, von innen wirkt der Menschheitswille hinaus. Und es durchkreuzen sich Menschheitswillen und Weltgedanken in diesem Kreuzungspunkte, wie sich im Atem das Objektive mit dem Subjektiven einstmals überkreuzt hat. Wir müssen fühlen lernen, wie durch unsere Augen unser Wille wirkt, und wie in der Tat die Aktivität der Sinne leise sich hineinmischt in die Passivität, wodurch sich Weltengedanken mit Menschheitswille kreuzen.

Nach solchen Dingen strebte die Goethesche Weltanschauung. Goethe wollte das reine Phänomen erkennen, was er das Urphänomen nannte, wo er nur zusammenstellte dasjenige, was in der Außenwelt auf den Menschen wirkt, wo sich nicht hineinmischt der luziferische Gedanke, der aus dem Kopf des Menschen selbst kommt. Dieser Gedanke sollte nur zur Zusammenstellung der Phänomene dienen. Goethe strebte nicht nach dem Naturgesetz, sondern nach dem Urphänomen. Das ist das Bedeutsame bei ihm. Kommen wir aber zu diesem reinen Phänomen, zu diesem Urphänomen, dann haben wir in der Außenwelt etwas, was uns möglich macht, auch die Entfaltung unseres Willens im Anschauen der Außenwelt zu verspüren, und dann werden wir uns aufschwingen wiederum zu etwas Objektiv-Subjektivem ... Wir müssen lernen, nicht immer nur von dem Gegensatz zu sprechen zwischen dem Materiellen und dem Geistigen, sondern wir müssen das Ineinanderspiel des Materiellen und des Geistigen in einer Einheit gerade im sinnlichen Auffassen erkennen.»[16]

Der Mensch gewinnt durch dieses verstärkte seelische Erleben ein völlig neues Verhältnis zur Außenwelt, das man im Sinne des Salutogenesekonzeptes als ein verstärktes «Kohärenzgefühl» bezeichnen könnte. Man empfindet von nun an eine größere Verantwortlichkeit für alles, was in der Welt vorgeht, weil man sich mit dem, was man im eigenen Inneren an Gedanken und Vorstellungen bildet, viel stärker mit der Außenwelt verbunden weiß, als es das Normalbewusstsein wahrhaben will. Und aus einem solchen Verantwortlichkeitsgefühl heraus wird die persönliche Gesundheitsfrage dann zu der überpersönlichen Frage: Kann ich durch meine innere Entwicklung auch zu einer Gesundung der Welt als Ganzes beitragen? Auf diese Dimension hin ist Steiners Wirken angelegt; die hier versammelten Vorträge geben dazu eine Richtung an.

ANMERKUNGEN

Vorwort

1 Aaron Antonovskys Hauptwerke erschienen 1979 unter dem Titel *Health, stress and coping: New perspectives on mental and physical well-being* und 1987 *Unraveling the mystery of health. How people manage stress and stay well.*

2 Viktor E. Frankl, *Der Mensch auf der Suche nach dem Sinn,* München 7. Aufl. 1989.

Das Vergessen

3 Rudolf Steiner bezieht sich hier wohl auf die in seiner Bibliothek vorhandenen Werke von Gustav Eichhorn, *Vererbung, Gedächtnis und transzendentale Erinnerungen vom Standpunkte des Physikers,* Stuttgart 1909; und: Gustav Theodor Fechner, *Nanna oder das Seelenleben der Pflanzen,* 4. Aufl. Hamburg/Leipzig 1908.

4 Diese Bezeichnung möchten wir heute nicht mehr verwenden, und Rudolf Steiner würde, wenn er heute lebte, sie selbstverständlich nicht benutzen (auch wenn es wörtlich nichts anderes als «Schwarzer» bedeutet). Wer aber Gewissheit darüber gewinnen möchte, dass Steiner nichts weniger als Rassismus im Sinn hatte, der oder die kann die von Hans-Jürgen Bader und Lorenzo Ravagli zusammengestellten und

erörterten Belege nachlesen in: *Rassenideale sind der Niedergang der Menschheit. Anthroposophie und der Rassismusvorwurf,* Stuttgart 2002.

Gesundheitsfragen im Lichte der Geisteswissenschaft

5 In dem Vortrag «Ernährungsfragen im Lichte der Geisteswissenschaft» vom 17. Dezember 1908, in: Rudolf Steiner, *Wo und wie findet man den Geist?* Gesamtausgabe Bibl.-Nr. 57, Dornach 1961.

6 Näheres über diese vierfache Gliederung des Menschen findet sich in den Grundwerken Rudolf Steiners: *Theosophie* und *Die Geheimwissenschaft im Umriß.*

Geisteswissenschaft als Lebensgut

7 Der Schluss dieses Vortrages, in dem Rudolf Steiner auf damals aktuelle Angriffe gegen die Geisteswissenschaft einging, ist hier weggelassen.

Nachwort

8 Ich verweise im Zusammenhang mit dem Salutogenese-Konzept und damit verbundenen pädagogischen Fragen auf die anregenden Schriften von Eckhard Schiffer: *Wie Gesundheit entsteht. Salutogenese: Schatzsuche statt Fehlerfahndung,* Weinheim 2001; sowie *Der kleine Prinz in Las Vegas. Mit spielerischer Intelligenz den Herausforderungen unserer Zeit begegnen,* Weinheim 2001. In seinen Büchern stellt

Schiffer aus psychotherapeutischer Sicht dar, wie wir den Überreizungen unserer Sinne durch konsequentes Ausbilden einer inneren Seelenkultur so begegnen können, dass wir gesund und kreativ bleiben.

9 Vgl. dazu Dave Grossman, *Wer hat unseren Kindern das Töten beigebracht?*, Stuttgart 2002; und Coleen Cordes / Ed Miller, *Die pädagogische Illusion. Ein kritischer Blick auf die Bedeutung des Computers für die kindliche Entwicklung*, Stuttgart 2002.

10 Vgl. dazu Henning Köhler, *War Michel aus Lönneberga aufmerksamkeitsgestört?*, Stuttgart 2002; und Eckhard Schiffer, *Nachdenken über Zappelphilipp*, Weinheim 2002.

11 Rudolf Steiner, *Die Philosophie der Freiheit*, 5. Kapitel, 1. Aufl. Berlin 1894, 16. Aufl. Dornach 1995, GA Bibl. Nr. 4.

12 *Wie erlangt man Erkenntnisse der höheren Welten?*, 1. Kapitel, Abschnitt «Bedingungen», 1. Aufl. Berlin 1904, 24. Aufl. Dornach 1993, GA Bibl. Nr. 10.

13 Ebd. Abschnitt «Innere Ruhe».

14 Vgl. den in gleicher Art wie das vorliegende Buch herausgegebenen Band *Innere Ruhe* (Stuttgart 2000), in dem drei Texte Steiners zu diesem Thema ausgewählt und kommentiert wurden.

15 *Wie erlangt man Erkenntnisse der höheren Welten?*, Abschnitt «Innere Ruhe».

16 *Die Sendung Michaels*, Zwölf Vorträge, Dornach 1919, 6. Vortrag vom 30. November 1919, Dornach 1977, GA Bibl. Nr. 194.

NACHWEISE

Die in diesem Band enthaltenen Darstellungen Rudolf Steiners sind folgenden Bänden der im Rudolf Steiner Verlag, Dornach / Schweiz erscheinenden Gesamtausgabe entnommen:

«Das Vergessen»: *Geisteswissenschaftliche Menschenkunde.* Neunzehn Vorträge vor Mitgliedern der Anthroposophischen Gesellschaft, gehalten in Berlin 19. Oktober 1908 bis 17. Juni 1909. GA Bibl.-Nr. 107, Dornach ^{4}1979.

«Gesundheitsfragen im Lichte der Geisteswissenschaft»: *Wo und wie findet man den Geist?* Achtzehn öffentliche Vorträge, gehalten zwischen dem 15. Oktober 1908 und dem 6. Mai 1909 im Architektenhaus zu Berlin. GA Bibl.-Nr. 57, Dornach 1961.

«Geisteswissenschaft als Lebensgut»: *Geisteswissenschaft als Lebensgut.* Zwölf öffentliche Vorträge, gehalten zwischen dem 30. Oktober 1913 und dem 23. April 1914 im Architektenhaus zu Berlin. GA Bibl.-Nr. 63, Dornach 1959.

ZUR ARBEIT DES RUDOLF STEINER ARCHIVS

Das vorliegende Werk basiert auf der deutschen Originalausgabe, die im Rudolf Steiner Verlag, Dornach / Schweiz, innerhalb der Rudolf Steiner Gesamtausgabe (GA) erschienen ist.
Als Herausgeber zeichnet die Rudolf Steiner Nachlaßverwaltung, die von Marie Steiner (1867 – 1948) begründet wurde, damit die ihr durch Rudolf Steiner testamentarisch anvertraute Bewahrung, Pflege und Herausgabe seines gesamten Werks auch nach ihrem Tod gewährleistet blieb. Die Nachlaßverwaltung, zu der das Rudolf Steiner Archiv und der Rudolf Steiner Verlag gehören, nahm 1949 ihre Arbeit auf. 1955/56 wurde mit der Herausgabe der Gesamtausgabe begonnen, die rund 45 Bände mit Schriften und Briefen, ca. 300 Vortrags- bände sowie zahlreiche Ausgaben mit Reproduktionen des künstlerischen Werks von Rudolf Steiner umfaßt.
Rudolf Steiner hielt seine Vorträge (insgesamt mehr als 5000) durchweg frei; 4500 davon wurden mitstenografiert. Weitere sind lediglich in Form von Zuhörernotizen und Referaten überliefert. Diese Mit- und Nachschriften bedürfen grundsätzlich einer redaktionellen Bearbeitung. Das Erstellen eines möglichst einwandfreien und dem gesprochenen Wort konformen Textes ist die Hauptaufgabe des Rudolf Steiner Archivs – neben der Pflege des Nachlasses.
Die Bände der Gesamtausgabe sind insoweit urheberrechtlich geschützt, als die Urheberrechte der Herausgeber und Bearbeiter unabhängig vom Ablauf der Schutzfrist nach Rudolf Steiners Tod bestehen.

Die Rudolf Steiner Nachlaßverwaltung betrachtet es zudem als ihre Aufgabe, das Werk – im Rahmen des Möglichen – ständig verfügbar zu halten. Bei Neuauflagen wird der Text der Vortragsbände anhand der Stenogramme und Nachschriften nochmals überprüft, was bisweilen mit außerordentlich aufwendigen Arbeiten verbunden ist.
Damit die Tätigkeit des Rudolf Steiner Archivs und somit die Herausgabe von Rudolf Steiners Werk gewährleistet bleiben kann, ist das Archiv, das keine staatlichen oder anderen Beiträge erhält, ganz auf Spendengelder angewiesen. Zu diesem Zweck besteht ein Förderverein:

Internationale Fördergemeinschaft
Rudolf Steiner Archiv, Postfach 135, CH-4143 Dornach

Spendenkonten:
Konto-Nr. 12906.24, Raiffeisenbank Arlesheim / Schweiz (BC 80 776) oder: Konto-Nr. 2.910.6, Freie Gemeinschaftsbank BCL Basel.
Deutschland: Verein zur Förderung der Rudolf Steiner Gesamtausgabe e. V., Ulm. Konto-Nr. 387086-701, Postbank Stuttgart (BLZ 600 100 70).
Großbritannien: International Association Rudolf Steiner Archives. Barclays London Branch, no. 20-71-64, account no. 40391255.

Weitere Informationen:
Rudolf Steiner Archiv
Postfach 135
CH-4143 Dornach
oder
www.steinerarchiv.info

In gleicher Ausstattung liegen vor:

RUDOLF STEINER

Die praktische Ausbildung des Denkens
Drei Vorträge. Hrsg. von Jean-Claude Lin.
Mit einer vergleichenden Betrachtung
von Walter Kugler.

Hellsehen und Einweihung
Drei Vorträge. Hrsg. und mit einer ergänzenden Betrachtung
versehen von Jean-Claude Lin.

Interesse für den anderen Menschen
Drei Vorträge. Hrsg. und mit einem Nachwort
von Andreas Neider.

Innere Ruhe
Zwei Vorträge und ein Aufsatz. Hrsg. und
mit einem Nachwort von Andreas Neider.

Anthroposophie.
Drei Perspektiven für das neue Jahrtausend
Drei Vorträge. Hrsg. von Jean-Claude Lin.

Geistige Schau und irdischer Ausdruck
Zwei Vorträge und ein Aufsatz.
Hrsg. von Jean-Claude Lin.
Mit einem Beitrag von Rudi Lissau.

Das Geheimnis der Gemeinschaft. Drei Ideale
Drei Vorträge. Hrsg. von Jean-Claude Lin.